Ana Maria Trinconi Borgatto

Mestra em Letras pela Universidade de São Paulo (USP)
Pós-graduada em Estudos Comparados de Literaturas de Língua Portuguesa pela USP
Licenciada em Letras pela USP
Pedagoga graduada pela USP
Professora universitária
Professora de Língua Portuguesa do Ensino Fundamental e Médio
Atuação em processos de formação de professores

Terezinha Costa Hashimoto Bertin

Mestra em Ciências da Comunicação pela Universidade de São Paulo (USP)
Pós-graduada em Comunicação e Semiótica pela Pontifícia Universidade Católica de São Paulo (PUC-SP)
Licenciada em Letras pela USP
Atuou como professora universitária e professora de Língua Portuguesa do Ensino Fundamental e Médio
Atuação em processos de formação de professores

Vera Lúcia de Carvalho Marchezi

Mestra em Letras pela Universidade de São Paulo (USP)
Pós-graduada em Estudos Comparados de Literaturas de Língua Portuguesa pela USP
Licenciada em Letras pela Universidade Estadual Paulista "Júlio de Mesquita Filho" (Unesp – Araraquara, SP)
Professora universitária
Professora de Língua Portuguesa do Ensino Fundamental e Médio
Atuação em processos de formação de professores

O nome ***Teláris*** se inspira na forma latina *telarium*, que significa "tecelão", para evocar o entrelaçamento dos saberes na construção do conhecimento.

TELÁRIS

PORTUGUÊS

CADERNO DE ATIVIDADES

editora ática

Direção Presidência: Mario Ghio Júnior
Direção de Conteúdo e Operações: Wilson Troque
Direção editorial: Luiz Tonolli e Lidiane Vivaldini Olo
Gestão de projeto editorial: Mirian Senra
Gestão de área: Alice Ribeiro Silvestre
Coordenação: Rosângela Rago
Edição: Lígia Gurgel do Nascimento e Valéria Franco Jacintho (editoras) e Débora Teodoro (assist.)
Planejamento e controle de produção: Patrícia Eiras e Adjane Queiroz
Revisão: Hélia de Jesus Gonsaga (ger.), Kátia Scaff Marques (coord.), Rosângela Muricy (coord.), Aline Cristina Vieira, Ana Curci, Ana Maria Herrera, Ana Paula C. Malfa, Brenda T. M. Morais, Daniela Lima, Diego Carbone, Gabriela M. Andrade, Hires Heglan, Lilian M. Kumai, Luciana B. Azevedo, Marília Lima, Maura Loria, Patricia Cordeiro, Paula Rubia Baltazar, Paula T. de Jesus, Raquel A. Taveira, Ricardo Miyake, Vanessa P. Santos; Amanda T. Silva e Bárbara de M. de Genereze (estagiárias)
Arte: Daniela Amaral (ger.), Erika Tiemi Yamauchi (coord.), Katia Kimie Kunimura (edição de arte)
Diagramação: Renato Akira dos Santos e Typegraphic
Iconografia e tratamento de imagens: Sílvio Kligin (ger.), Claudia Bertolazzi (coord.), Jad Silva e Monica de Souza/Tempo Composto (pesquisa iconográfica); Cesar Wolf e Fernanda Crevin (tratamento)
Licenciamento de conteúdos de terceiros: Thiago Fontana (coord.), Liliane Rodrigues (licenciamento de textos), Erika Ramires, Luciana Pedrosa Bierbauer, Luciana Cardoso e Claudia Rodrigues (analistas adm.)
Ilustrações: Nik Neves
Cartografia: Eric Fuzii (coord.) e Robson Rosendo da Rocha (edit. arte)
Design: Gláucia Correa Koller (ger.), Adilson Casarotti (proj. gráfico e capa), Erik Taketa (pós-produção); Gustavo Vanini e Tatiane Porusselli (assist. arte)
Foto de capa: Robert Daly/Caiaimage/Getty Images

Avenida das Nações Unidas, 7221, 3º andar, Setor A
Pinheiros – São Paulo – SP – CEP 05425-902
Tel.: 4003-3061
www.atica.com.br / editora@atica.com.br

Dados Internacionais de Catalogação na Publicação (CIP)

Trinconi, Ana
Teláris língua portuguesa 9º ano / Ana Trinconi, Terezinha Bertin, Vera Marchezi. - 3. ed. - São Paulo : Ática, 2019.

Suplementado pelo manual do professor.
Bibliografia.
ISBN: 978-85-08-19340-0 (aluno)
ISBN: 978-85-08-19341-7 (professor)

1. Língua Portuguesa (Ensino fundamental). I. Bertin, Terezinha. II. Marchezi, Vera. III. Título.

2019-0172 CDD: 372.6

Julia do Nascimento - Bibliotecária - CRB-8/010142

2021
Código da obra CL 742180
CAE 654369 (AL) / 654372 (PR)
3ª edição
5ª impressão
De acordo com a BNCC.

Impressão e acabamento: A.R. Fernandez

Apresentação

Colaborar no aprimoramento de suas habilidades de ler, compreender, interpretar e produzir textos é o objetivo fundamental dos estudos propostos nas aulas de Língua Portuguesa.

O uso da língua no dia a dia, os diversos recursos linguísticos em diferentes situações comunicativas, assim como as regras e convenções do português, são trabalhados para ampliar seu domínio sobre formas de expressão.

O **Caderno de Atividades** foi pensado para que você possa rever os conteúdos estudados em cada um de seus livros do ***Projeto Teláris Português***. Aqui você encontrará:

- esquemas de revisão dos assuntos tratados no livro;
- atividades que vão ajudá-lo a refletir sobre usos da língua portuguesa;
- desafios da língua.

Neste **Caderno de Atividades** há ainda uma seção para você avaliar suas habilidades de leitura: *Conhecimento em teste*.

Lembre-se: exercitar é uma forma de estudar.

Ana, Terezinha e Vera

SUMÁRIO

UNIDADE 1

Transgressões de linguagem e multiplicidade de sentidos

Recursos expressivos

1› Leia a tirinha reproduzida a seguir.

WATTERSON, Bill. Calvin. *O Estado de S. Paulo.* São Paulo, 19 jul. 2007.

a) Que alimento Calvin deveria pegar para fazer um lanche, de acordo com a mãe dele?

b) O que Calvin pegou para lanchar?

c) Como você explicaria a última fala do personagem?

A produção de sentidos por meio de mecanismos da língua — falada ou escrita — costuma ocorrer em diferentes situações de comunicação. A dificuldade de "falar a mesma língua" pode ser facilmente percebida quando há o uso de expressões que assumem sentido figurado, isto é, específico na língua.

2› Leia as frases reproduzidas a seguir prestando atenção nas expressões destacadas. Escreva diante de cada uma:

SP = sentido próprio **SF** = sentido figurado

a) "Brasil leva '**banho de água fria**' da Sérvia no fim da prorrogação e é vice no Mundial Sub-20." (*ESPN/Uol*, 20 jun. 2015.) ________

b) "**Banho de água fria**: 'desafio do balde de gelo' arrecada 71 milhões de reais nos EUA e 75 000 reais no Brasil." (*Veja.com*, 20 ago. 2014.) ________

c) "A apresentadora preferiu combinar a peça com **saia justa** e curta vinho, além de sandálias alaranjadas." (*Terra*, 27 jun. 2015.) ________

d) "Rafael Nadal fica em **saia justa** ao ser indagado sobre estar fraco: 'tem certeza?'." (*Uol Esporte*, 20 fev. 2015.) ________

e) "Uma característica bastante distintiva de um autêntico paletó sob medida é que pelo menos dois dos botões da manga são funcionais. Isso significa dizer que é possível desabotoá-los e, literalmente, **arregaçar a manga** do paletó." (*Stylus et coetera*, 16 abr. 2009.) ________

f) "Outra que '**arregaçou as mangas**' e decidiu investir seus esforços para ajudar a resolver questões que afetam a coletividade foi a cearense Coelce." (*IstoÉ Dinheiro*, 5 jun. 2015.) ________

g) "Os usuários de trens do Rio voltaram a sofrer com a má qualidade do serviço na manhã desta quinta-feira. Pelo terceiro dia consecutivo, passageiros foram obrigados a deixar as composições e **andar na linha** férrea." (*Veja.com*, 5 set. 2013.) ________

h) "Tem que **andar na linha** e respeitar não só as regras de trânsito, mas os pedestres também." (*Globo.com*, 6 jul. 2014.) ________

i) "**Bomba** explode em frente a TV grega." (*G1*, 17 dez. 2018.) ________

j) "Relatório oficial é nova **bomba** no vôlei brasileiro." (*Blog do Juca Kfouri*, 10 abr. 2017.) ________

3› Observe o sentido próprio de expressões usadas em sentido figurado em algumas das frases da atividade anterior. Leia então os itens de *a* até *d* mais abaixo e escreva, para cada item, o sentido próprio de sua expressão.

- agir como determinam leis ou regras
- quebra de expectativas; desilusão, decepção
- situação embaraçosa, desconcertante
- entregar-se inteiramente a um trabalho, a uma tarefa

a) banho de água fria ________________________________

b) saia justa ________________________________

c) arregaçar as mangas ________________________________

d) andar na linha ________________________________

Para relembrar:

Recursos estilísticos

Criação de efeitos de sentido surpreendentes por meio de mecanismos da língua.

- **Comparação:** aproximação explícita entre elementos por semelhança com o uso do termo *como*, que estabelece essa comparação.
- **Metáfora:** construção, por meio de uma comparação implícita, de outros sentidos para uma palavra ou expressão.
- **Prosopopeia ou personificação:** atribuição de característica de ser vivo, humano, a um ser inanimado.
- **Sinestesia:** associação de palavras ou expressões em que ocorre combinação de diferentes sensações: visuais, auditivas, gustativas, olfativas, táteis.
- **Paradoxo:** efeito de sentido criado por meio de palavras ou expressões de sentidos contraditórios.

Fernando Pessoa (1888-1935) é um dos mais representativos poetas da língua portuguesa. Escreveu extensa obra assinada por ele mesmo, além de obras em que, voluntariamente, "fingiu" ser outros indivíduos — seus **heterônimos**. Assumindo características bem particulares, produziu e assinou obras poéticas como Álvaro de Campos, Alberto Caeiro, Ricardo Reis, entre outros.

1 Leia a estrofe a seguir, de um poema de Fernando Pessoa, e identifique dois exemplos de um mesmo recurso de estilo que aparece nela.

Liberdade

Fernando Pessoa

[...]
O rio corre, bem ou mal,
Sem edição original.
E a brisa, essa,
De tão naturalmente matinal,
Como tem tempo, não tem pressa...
[...]

PESSOA, Fernando. *Obra poética*. 3. ed. Rio de Janeiro: Aguillar, 1969. p. 188.

Luciano Queiroz/Pulsar Imagens

Rio Bahia, em Batayporã (MS), 2019.

2› Leia um poema completo de Fernando Pessoa.

A Outra

Fernando Pessoa

Amamos sempre no que temos
O que não temos quando amamos.
O barco para, largo os remos
E, um a outro, as mãos nos damos.
A quem dou as mãos?
À Outra.

Teus beijos são de mel de boca,
São os que sempre pensei dar,
E agora a minha boca toca
A boca que eu sonhei beijar.
De quem é a boca?
Da Outra.

Os remos já caíram na água,
O barco faz o que a água quer.
Meus braços vingam minha mágoa
No abraço que enfim podem ter.
Quem abraço?
A Outra.

Bem sei, és bela, és quem desejei...
Não deixe a vida que eu deseje
Mais que o que pode ser teu beijo
E poder ser eu que te beije.
Beijo, e em quem penso?
Na Outra.

Os remos vão perdidos já,
O barco vai e não sei para onde.
Que fresco o teu sorriso está,
Ah, meu amor, e o que ele esconde!
Que é do sorriso
Da Outra?

Nik Neves/Arquivo da editora

Ah, talvez, mortos ambos nós,
Num outro rio sem lugar
Em outro barco outra vez sós
Possamos nós recomeçar
Que talvez sejas
A Outra.

Mas não, nem onde essa paisagem
É sob eterna luz eterna
Te acharei mais que alguém na viagem
Que amei com ansiedade terna
Por ser parecida
Com a Outra.

Ah, por ora, idos remos e rumo,
Dá-me as mãos, a boca, o teu ser.
E façamos desta hora um resumo
Do que não poderemos ter.
Nesta hora, a única
Sê a Outra.

PESSOA, Fernando. *Obra poética*. 3. ed. Rio de Janeiro: Aguilar, 1969. p. 184.

Nik Neves/Arquivo da editora

Agora que você leu o poema "A outra", do poeta português Fernando Pessoa, leia as questões a seguir e, para cada uma delas, assinale a alternativa correta.

a) O recurso de estilo utilizado na construção dos versos "Amamos sempre no que temos / O que não temos quando amamos." é um exemplo de:
- comparação. ( )
- prosopopeia. ( )
- metáfora. ( )
- paradoxo. ( )

b) Releia: "O barco para, largo os remos / [...] / Os remos já caíram na água, / O barco faz o que a água quer. / [...] / Os remos vão perdidos já, / O barco vai e não sei para onde. / [...] / Ah, por ora, idos remos e rumo [...]". O efeito de sentido provocado por essa sucessão de versos representa:
- um barco movido a remo. ( )
- a entrega do eu lírico às emoções. ( )
- como os remos foram perdidos. ( )
- como o eu lírico perdeu o rumo. ( )

c) O recurso de estilo usado na representação que você assinalou no item **b** é chamado de:
- ambiguidade. ( )
- sinestesia. ( )
- metáfora. ( )
- paradoxo. ( )

d) Nota-se, ao longo do poema, uma inquietação do eu lírico em relação à Outra. Assinale a alternativa que parece refletir como ele se sente, ao final, quanto a ela.
- Ele passa a aceitar a Outra como possibilidade. ( )
- Ele reforça as diferenças entre uma e a Outra. ( )
- Ele rejeita a Outra com firmeza. ( )
- Ele desiste da Outra como a única possibilidade. ( )

3› Leia outros versos do mesmo poeta, agora assinados por um de seus heterônimos. Identifique os recursos de estilo nos trechos indicados.

O guardador de rebanhos

I – Eu nunca guardei rebanhos

Alberto Caeiro

Eu nunca guardei rebanhos,

Mas é como se os guardasse. ______________________

Minha alma é como um pastor, ______________________

Conhece o vento e o sol ______________________

E anda pela mão das Estações ______________________

A seguir e a olhar. ______________________

Toda a paz da Natureza sem gente

Vem sentar-se ao meu lado. ______________________

Mas eu fico triste como um pôr do sol ______________________

[...]

Ilustrações: Nik Neves/Arquivo da editora

IX – Sou um guardador de rebanhos

Sou um guardador de rebanhos.

O rebanho é os meus pensamentos ______________________

E os meus pensamentos são todos sensações. ______________________
Penso com os olhos e com os ouvidos
E com as mãos e os pés
E com o nariz e a boca. [...]

Pensar uma flor é vê-la e cheirá-la
E comer um fruto é saber-lhe o sentido.

Por isso quando num dia de calor
Me sinto triste de gozá-lo tanto,
E me deito ao comprido na erva,
E fecho os olhos quentes,
Sinto todo o meu corpo deitado na realidade,
Sei a verdade e sou feliz.

X – Olá, guardador de rebanhos

"Olá, guardador de rebanhos,
Aí à beira da estrada,
Que te diz o vento que passa?"

"Que é vento, e que passa,
E que já passou antes,
E que passará depois.
E a ti o que te diz?"

"Muita cousa mais do que isso.
Fala-me de muitas outras cousas.
De memórias e de saudades
E de cousas que nunca foram."

"Nunca ouviste passar o vento.
O vento só fala do vento.
O que lhe ouviste foi mentira,
E a mentira está em ti."

[...]

PESSOA, Fernando. *Obra poética*. 3. ed. Rio de Janeiro: Aguilar, 1969. p. 203.

edpics/Agefotostock/AGB Photo Library

O poeta português Fernando Pessoa.

Nik Neves/Arquivo da editora

Desafios da língua

Sinônimos, antônimos, palavras polissêmicas

Para relembrar:

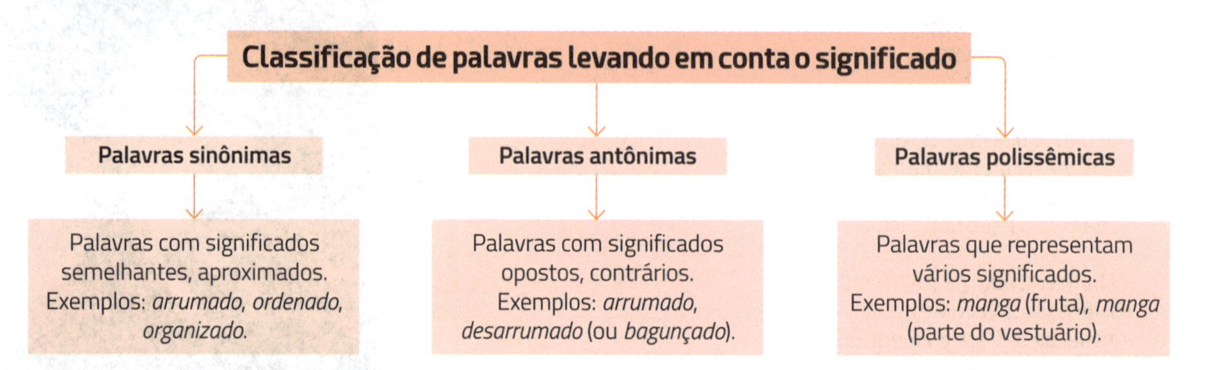

- Reescreva o trecho a seguir substituindo as palavras destacadas por sinônimos.

Bicho-preguiça

O quão **lento** é de fato o bicho-preguiça, tido como o mamífero mais **lerdo** do planeta? Bem, com frequência ele precisa do dia todo para **se deslocar** apenas alguns metros. E aí tem de **descansar** — até 20 horas seguidas. O metabolismo desses herbívoros é tão lento que eles descem das árvores para **defecar** no chão apenas uma vez por semana. E é melhor que seja assim, pois é tão **desajeitado** no solo que fica muito **vulnerável** a atropelamentos, caçadores e predadores.

O esqueleto da preguiça é **adaptado** para que o animal fique **reclinado** ou pendurado de cabeça para baixo nos galhos.

National Geographic Brasil. São Paulo: Abril, fev. 2015. p. 22.

Roland Seitre/Minden Pictures/Fotoarena

Bicho-preguiça.

Parônimos, homônimos

Para relembrar:

Classificação de palavras segundo a escrita e a pronúncia

Palavras homônimas

Palavras com significados diferentes, mas semelhança na grafia e na pronúncia.
Exemplos: *acento* (sinal gráfico, ênfase), *assento* (peça de mobiliário em que se pode sentar).

Palavras parônimas

Palavras com significados diferentes e grafia e pronúncia com algumas diferenças.
Exemplos: *tráfego* (conversação, fluxo), *tráfico* (comércio); *emigrante* (aquele que sai do próprio país para viver em outro), *imigrante* (aquele que se estabeleceu em país estrangeiro).

Empregue uma das palavras entre parênteses para completar adequadamente as frases. Se houver necessidade, consulte um dicionário.

a) Comprei ingressos para a última ______________ de cinema de amanhã. (cessão/seção/sessão)

b) Para comprar o ventilador você deve dirigir-se à ______________ de eletrodomésticos. (cessão/seção/sessão)

Nik Neves/Arquivo da editora

c) O último ______________ realizado no Brasil indica que aumentou o número de jovens que terminam a educação fundamental. (censo/senso)

d) As manifestações de rua têm revelado que as pessoas de bom ______________ não participam de depredações. (censo/senso)

e) O barco afundou de uma só vez e não mais ______________. (emergiu/imergiu)

f) O salva-vidas ______________ várias vezes, conseguindo assim salvar a criança que quase se afogou. (emergiu/imergiu)

g) As águas da chuva ______________ nas regiões mais baixas da cidade. (empoçaram/empossaram)

h) Os deputados ______________ um novo presidente em caráter de emergência. (empoçaram/empossaram)

i) É aconselhável agir com muita ______________ em lugares públicos. (descrição/discrição)

j) Em seu relatório teve de fazer a ______________ detalhada de todos os aparelhos que utilizaria nas experiências. (descrição/discrição)

k) Lembra aquela calça cujo zíper emperrou? Onde você a levou para fazerem o ______________? (conserto/concerto)

l) Você comprou ingressos para o ______________ do pianista Nelson Freire? (conserto/concerto)

m) A ______________ que prendia o quadro na parede da sala de jantar está quebrada. (tacha/taxa)

n) Qual será a ______________ de embarque a ser paga em nosso caso, uma família de cinco pessoas adultas? (tacha/taxa)

Dizer muito com economia de palavras

Período composto (I)

Para relembrar:

Período

Simples
- oração absoluta;
- um só verbo.

Composto
- mais de uma oração;
- dois ou mais verbos.

Período composto por coordenação → Orações sintaticamente independentes.

Período composto por subordinação → Orações sintaticamente dependentes umas das outras.

Os trechos a seguir foram retirados de uma matéria jornalística sobre *ghost-writers*, termo em inglês que significa "escritor-fantasma" e designa pessoas que, por encomenda, escrevem para outras. Estas últimas compram o texto e o assinam como se o tivessem produzido. Os *ghost-writers* também são conhecidos como "escritores de aluguel". Sublinhe os verbos e escreva diante de cada trecho:

PS = período simples **PC** = período composto

a) Escritores de aluguel transformam em texto a ideia dos outros e não levam o crédito por isso. ___________

b) Comuns em países como Estados Unidos e Inglaterra, *ghost-writers* aparecem também no Brasil. ___________

c) Quando Roman Polanski lançou o filme *O escritor fantasma*, em 2010, o público logo notou as semelhanças entre o personagem de Pierce Brosnan e o ex-premiê britânico Tony Blair. ___________

d) Poucos sabem que o personagem do título, interpretado por Ewan McGregor, também foi inspirado em um *ghost--writer* real: Andrew Crofts. ___________

e) Autor de 80 livros, muitos dos quais não levam seu nome, Crofts lançou *Confessions of a Ghost-Writer* ("Confissões de um escritor fantasma", em tradução livre e sem previsão de lançamento no Brasil). ___________

Maxop-Plus/Shutterstock

f) Nesse livro, Crofts disseca o ofício que exerce desde 1984: transformar em texto a ideia dos outros. ___________

g) *Ghost-writers* como Crofts estão por toda parte. ___________

h) No Brasil, uma das mais requisitadas é a jornalista Tânia Carvalho. ___________

i) Autora de 18 volumes da Coleção Aplauso, Tânia garante que a relação entre *ghost* e "autor" nem sempre é das mais amistosas. ___________

j) "O pior é aquele que conta sua vida em uma rodada de entrevistas e não quer falar mais." ___________

k) "Ou, então, aquele que insiste que 'não disse isso', quando disse." ___________

l) "Nessas horas, dá vontade de jogar a toalha", desabafa Tânia, que investe, em média, 20 horas de entrevista na apuração.

____

Nik Neves/Arquivo da editora

m) Ela ganha de R$ 20 mil a R$ 40 mil por encomenda e leva em torno de cinco meses para finalizar cada livro.

____

BERNARDO, André. Escritores de aluguel. *Galileu*. São Paulo: Globo, p. 77, dez. 2014.

Período composto por coordenação

Para relembrar:

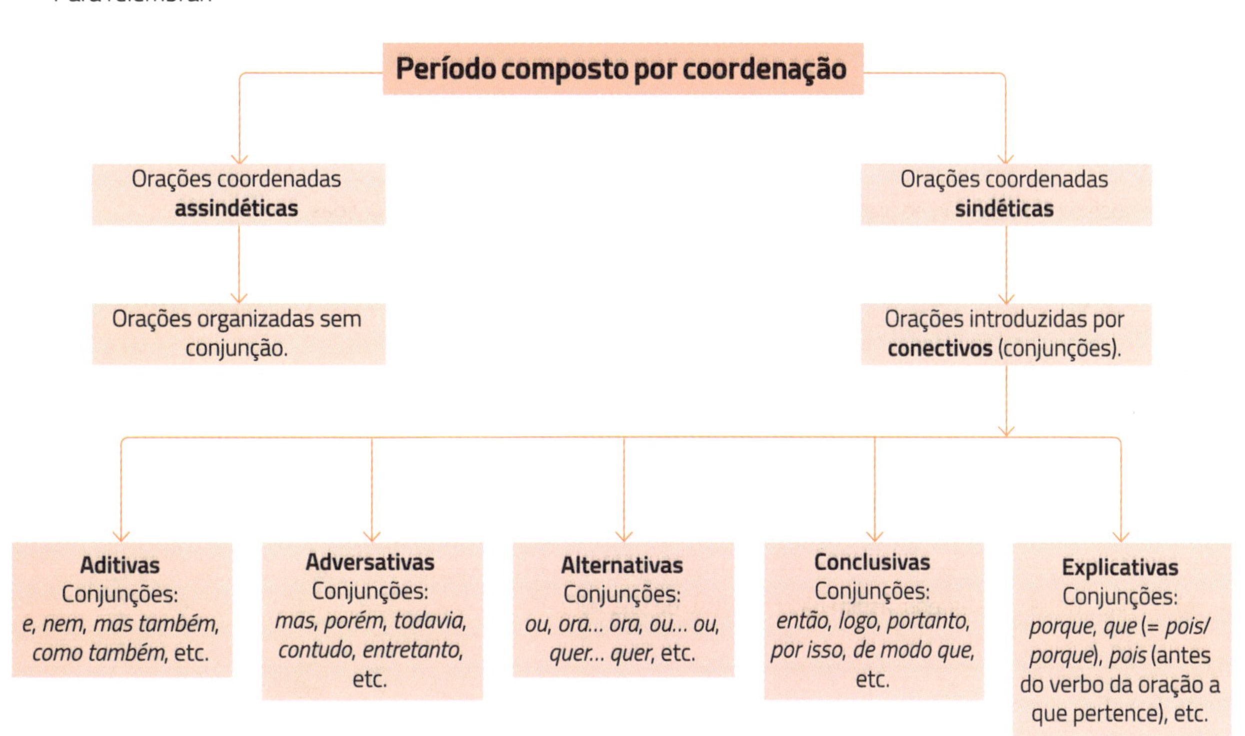

1› Divirta-se com as frases bem-humoradas do Barão de Itararé, pseudônimo de Aparício Fernando de Brinkerhoff Torelly (1895-1971), jornalista, escritor e pioneiro no humorismo político brasileiro. Depois, classifique as orações coordenadas destacadas.

a) Os homens nascem iguais, **mas no dia seguinte já são diferentes**.

____

____

b) Não é triste mudar de ideia, **porém é triste** não ter ideias para mudar.

____

____

c) O tambor faz muito barulho, **contudo é vazio por dentro**.

____

____

d) Tempo é dinheiro. **Paguemos, portanto, as nossas dívidas com o tempo**.

____

____

e) Quem ama o feio é **porque o bonito não aparece**.

____

____

f) Dize-me com quem andas **e eu te direi** se vou contigo.

____

____

g) O meu amor e eu nascemos um para o outro, **então só falta** quem nos apresente.

____

____

h) Se você tem dívida, não se preocupe, **porque as preocupações não pagam as dívidas**.

____

____

Patrick E. Fraser/Shutterstock

Sadik Gulec/Shutterstock

Tambor é o nome genérico de vários instrumentos musicais de percussão, produzidos com uma membrana esticada que percute. Nas fotos, há dois tipos de tambor: um timbalão e um par de bongôs.

2› Reescreva as orações empregando conjunções que possam substituir as que foram destacadas, sem prejudicar a coesão dos períodos.

a) Corra, **que** está chovendo!

____

____

b) Eu não contei seu segredo; **assim** não me acuse de faladeira.

____

____

c) Havia muita coisa esparramada, **de modo que** não foi possível encontrar o que procurávamos.

d) Traga o que quiser, **porém** não há espaço para muita coisa.

e) **Ora** vibravam, **ora** ficavam em silêncio.

f) As crianças estavam cansadas, **portanto** foi fácil fazê-las dormir.

g) Já era tarde, **todavia** ninguém falava em ir embora.

h) Fique mais um pouco, **pois** ainda não terminamos a conversa.

i) **Ora** ele afirma uma coisa, **ora** afirma outra.

j) Estavam preocupados com o horário, **pois** ninguém disse nada.

Nik Neves/Arquivo da editora

Desafios da língua

Os sentidos das palavras e a ortografia

Uso de: *se não/senão; a fim de/afim; acerca de/cerca de/há cerca de; em vez de/ao invés de; onde/aonde/donde/de onde; nem um/nenhum; trás/atrás/traz*

Na página 87 de seu livro, releia o quadro: **Expressões e significados**. Assim, você poderá rever a escrita e as indicações de uso de algumas palavras ou expressões.

1 Complete as frases abaixo com uma das expressões entre parênteses.

a) Fomos visitar o local ________________ ficava o histórico cinema. (onde/aonde/de onde)

b) ________________ você trouxe aquele doce de leite fantástico? (onde/de onde/aonde)

c) ______________ poderemos ir nestas férias, sem gastar muito dinheiro? (onde/de onde/aonde)

d) Gostaria de voltar à cidade ______________ nasci e passei minha infância. (onde/de onde/aonde)

e) ______________ você tirou essas fotos? (onde/de onde/aonde)

f) Por ______________ dessa colina há um riozinho de águas cristalinas. (trás/traz/atrás)

g) Você tem de prestar atenção à aula! Por que ______________ o celular? (trás/traz/atrás)

h) Não gosto de ficar nos assentos de ______________ quando pego ônibus. (trás/traz/atrás)

i) As pessoas seguiam ______________ do carro com os jogadores, fazendo muito barulho. (trás/traz/atrás)

j) Por ______________ dos desastres ambientais, geralmente há ações humanas de muita irresponsabilidade. (trás/traz/atrás)

k) ______________ quinhentas pessoas ficaram desabrigadas em consequência das chuvas torrenciais que atingiram esta cidade. (cerca de/há cerca de/acerca de)

l) Terminei meus estudos ______________ dois anos. (cerca de/há cerca de/acerca de)

m) Na câmara dos deputados discute-se ______________ mudanças nas leis ambientais. (cerca de/há cerca de/acerca de)

n) Os países precisam tomar providências urgentes para minimizar a poluição, ______________ os efeitos para o meio ambiente serão irreversíveis. (senão/se não)

o) As manifestações de rua podem continuar ______________ forem negociados novos preços para a energia elétrica. (senão/se não)

p) Dê uma mãozinha para mim, ______________ não conseguirei terminar minha parte. (senão/se não)

2› Complete os espaços dos textos a seguir, escolhendo a expressão adequada dos parênteses.

a) "Os vereadores de São Paulo aprovaram nesta terça (30), em primeira votação, projeto de lei que veta o Uber e outros aplicativos que oferecem serviços de motoristas particulares autônomos. [...] À tarde ______________ mil taxistas participaram de protesto em frente à Câmara." (cerca de/há cerca de/acerca de) (*Folha de S.Paulo*, 1º jul. 2015)

b) Seu estado piorou porque, ______________ ir ao médico, voltou para casa. (em vez de/ao invés de)

c) Apesar do desespero, calou ______________ falar. (em vez de/ao invés de)

3› Leia a tirinha a seguir. Considerando o sentido do texto, complete adequadamente a fala do quadrinho central da tira com *se não* ou *senão*.

SCHULZ, Charles M. *Snoopy 9*: pausa para soneca. Porto Alegre: L&PM, 2013. p. 56.

CONHECIMENTO EM TESTE

Texto 1

CUNHA, Leo. *XXII!!*. São Paulo: Paulinas, 2003.

1› O objetivo desse texto é:

a) apresentar relações entre o texto verbal e o texto não verbal para informar sobre diferentes formas de utilizar o *mouse*. ( )

b) opinar sobre o uso excessivo da utilização do *mouse* sobre prancha colorida. ( )

c) produzir sentido a partir das relações de significado entre palavras, formas e cores. ( )

d) questionar a utilidade da escrita digital a partir do *mouse* com fio. ( )

e) sinalizar que só há um sentido para o termo *mouse*. ( )

2› Considerando somente as palavras formadas com uma só cor, assinale as leituras que podem ser feitas desse poema.

a) ME USE MOUSE ( )

b) MOUSE ME USE ( )

c) MEUS E MOUSE ( )

3› Considerando as combinações possíveis de palavras e imagem que ocupam todo o espaço do poema, é possível inferir que:

a) a tecnologia está comandando o indivíduo. ( )

b) o indivíduo não obedece aos apelos da tecnologia. ( )

c) os apelos da tecnologia estão se sobrepondo ao indivíduo. ( )

d) o indivíduo está no comando da tecnologia. ( )

e) a tecnologia é mais eficiente do que o indivíduo. ( )

Texto 2

Circuito fechado (1)

Ricardo Ramos

Chinelos, vaso, descarga. Pia, sabonete. Água. Escova, creme dental, água, espuma, creme de barbear, pincel, espuma, gilete, água, cortina, sabonete, água fria, água quente, toalha. Creme para cabelo, pente. Cueca, camisa, abotoaduras, calça, meias, sapatos, gravata, paletó. Carteira, níqueis, documentos, caneta, chaves, lenço, relógio, maço de cigarros, caixa de fósforos. Jornal. Mesa, cadeiras, xícara e pires, prato, bule, talheres, guardanapo. Quadros. Pasta, carro. Cigarro, fósforo. Mesa e poltrona, cadeira, cinzeiro, papéis, telefone, agenda, copo com lápis, canetas, bloco de notas, espátula, pastas, caixas de entrada, de saída, vaso com plantas, quadros, papéis, cigarro, fósforo. Bandeja, xícara pequena. Cigarro e fósforo. Papéis, telefone, relatórios, cartas, notas, vales, cheques, memorandos, bilhetes, telefone, papéis. Relógio. Mesa, cavalete, cinzeiros, cadeiras, esboços de anúncios, fotos, cigarro, fósforo, bloco de papel, caneta, projetor de filmes, xícara, cartaz, lápis, cigarro, fósforo, quadro-negro, giz, papel. Mictório, pia, água. Táxi. Mesa, toalha, cadeiras, copos, pratos, talheres, garrafa, guardanapo, xícara. Maço de cigarros, caixa de fósforos. Escova de dentes, pasta, água. Mesa e poltrona, papéis, telefone, revista, copo de papel, cigarro, fósforo, telefone interno, externo, papéis, prova de anúncio, caneta e papel, relógio, papel, pasta, cigarro, fósforo, papel e caneta, telefone, caneta e papel, telefone, papéis, folheto, xícara, jornal, cigarro, fósforo, papel e caneta. Carro. Maço de cigarros, caixa de fósforos. Paletó, gravata. Poltrona, copo, revista. Quadros. Mesa, cadeiras, pratos, talheres, copos, guardanapos. Xícaras. Cigarro e fósforo. Poltrona, livro. Cigarro e fósforo. Televisor, poltrona. Cigarro e fósforo. Abotoaduras, camisa, sapatos, meias, calça, cueca, pijama, chinelos. Vaso, descarga; pia, água, escova, creme dental, espuma, água. Chinelos. Coberta, cama, travesseiro.

JOZEF, Bella (Sel.). *Melhores contos — Ricardo Ramos*. São Paulo: Global, 1998. p. 21-22.

1› O objetivo desse conto é:

a) trazer informações sobre ações do cotidiano. ( )

b) narrar o cotidiano do personagem. ( )

c) listar substantivos do cotidiano. ( )

d) relatar fatos reais do cotidiano. ( )

2› É possível reconhecer no conto:

a) personagem, ações, tempo e espaço. ( )

b) apenas o personagem sem indícios do espaço. ( )

c) apenas as ações sem referência ao tempo. ( )

d) personagens, ações sem indícios de tempo e espaço. ( )

3› O conto foi construído sem elementos de ligação para dar coerência à narrativa. É possível inferir seu sentido por meio:

a) da sequência de ações (enredo), da situação vivida (rotina de um dia), do ambiente (cidade), do tempo (começo e fim de um dia). ( )

b) da sequência de ações (enredo) e do tempo (provavelmente manhã). ( )

c) da situação vivida (rotina matinal), do ambiente (banheiro). ( )

d) do ambiente (banheiro), do tempo (provavelmente manhã). ( )

4› O significado de *circuito* é 'linha fechada que limita um espaço, trajetória ou percurso que retoma o ponto de partida'. O título do texto "Circuito fechado" sugere que a rotina narrada:

a) acontece com todas as pessoas. ( )

b) acontece durante um único dia. ( )

c) se repete indefinidamente na vida do personagem. ( )

d) é alguma coisa que não se repete por mais de um dia. ( )

A eterna arte de narrar...

Período composto (II)

Processo de subordinação e coesão (I)

Para relembrar:

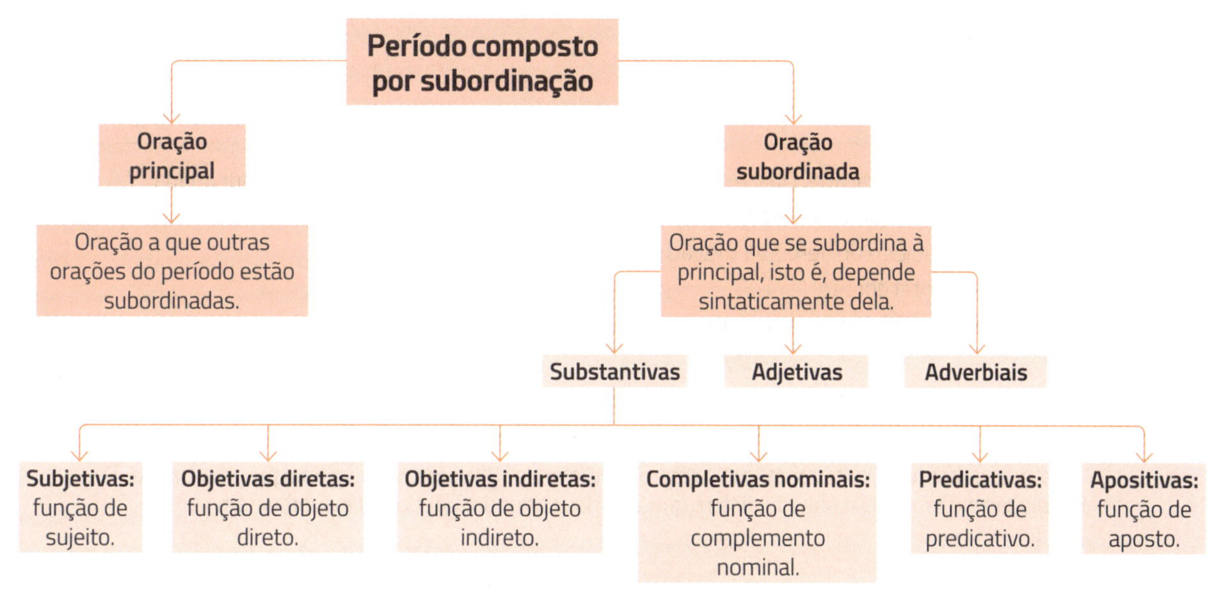

1› Leia a tira a seguir:

WALKER, Mort. Recruta Zero. *O Estado de S. Paulo.* São Paulo, 19 abr. 2015. Caderno 2, p. C8.

a) Nessa tira, o personagem do sargento interpretou a frase que está na placa como uma ordem. Releia a placa e assinale a alternativa que pode corresponder a outra forma de interpretar o que está escrito nela.

- pergunta ( )
- súplica ( )
- desejo ( )
- sugestão ( )

b) O efeito de humor na tira é produzido pela fala do sargento ao deixar implícito que:
- ele pretendia não incomodar o Recruta Zero. (   )
- ele é uma pessoa que é treinada para cumprir ordens. (   )
- se ele pudesse, acordaria o Recruta Zero. (   )
- todo soldado deve obedecer a ordens. (   )

c) A construção da frase da placa sobre a grama é:
- um período composto por duas orações. (   )
- uma frase nominal. (   )
- um período simples. (   )
- uma oração sem sujeito. (   )

2› Releia a fala do sargento:

— O Zero sabe **que eu nunca desobedeceria uma ordem**!

a) Identifique o(s) verbo(s) e responda: quantas orações formam esse período?

____

____

____

b) Reflita sobre a oração destacada. Qual é o sentido dela no período? Assinale a resposta adequada.
- Indica uma causa da ação expressa na oração antecedente. (   )
- Exerce função de sujeito do verbo da oração antecedente. (   )
- Explica a oração antecedente. (   )
- Complementa o sentido do verbo da oração antecedente. (   )

3› A seguir, leia um trecho de reportagem sobre mudanças nas águas dos mares.

Estudos recentes constataram que os mares estão quase 30 vezes mais ácidos que os de antes da Revolução Industrial. O resultado disso é que 20% dos corais do mundo já desapareceram.

[...]

National Geographic Brasil. São Paulo: Abril, 2015. p. 14.

a) Da leitura desse parágrafo, pode-se concluir que:
- o desaparecimento de espécies é causado pela acidez do esfriamento das águas. (   )
- a atividade industrial aumentou a acidez das águas. (   )
- antes da Revolução Industrial não havia acidez nas águas. (   )
- a acidez das águas é provocada pelo desaparecimento dos corais. (   )

b) Esse parágrafo da reportagem foi organizado em dois períodos. Releia o primeiro deles:

Estudos recentes constataram que os mares estão quase 30 vezes mais ácidos que **os** de antes da Revolução Industrial.

A palavra *os* destacada nesse trecho refere-se a:
- corais. (   )
- homens da época da Revolução Industrial. (   )
- estudos recentes. (   )
- mares. (   )

c) No período reproduzido no item anterior, a oração "que os mares estão quase 30 vezes mais ácidos" tem função de:

- complemento do verbo da oração anterior. ( )
- sujeito da oração anterior. ( )
- circunstância de lugar relacionada ao verbo da oração anterior. ( )
- indicação de qualidade do sujeito da oração anterior. ( )

4 Leia sobre os corais neste trecho de uma reportagem:

Os corais mais ameaçados do planeta

Gustavo Faleiros

Ecossistemas essenciais para a alimentação e reprodução de diversas espécies marinhas, os recifes de coral estão em apuros. [...] As previsões mais pessimistas dão conta de que diversas espécies de corais estarão extintas em 30 ou 50 anos. Isso certamente levaria não apenas ao desaparecimento de outras espécies, como poderia levar ao colapso de economias baseadas na pesca. [...]

Disponível em: <www.oeco.org.br>. Acesso em: 12 fev. 2019.

J.W.Alker/ImageBROKER/Glow Images

Recife de coral no oceano Pacífico, nas Filipinas. Fotografia de 2013.

a) Assinale a alternativa que corresponde à informação fornecida nesse trecho.

- Os corais são importantes para a manutenção da temperatura das águas. ( )
- Os corais são fundamentais para a economia mundial. ( )
- Os corais são indispensáveis para a sobrevivência de espécies marinhas. ( )
- Os corais se alimentam de peixes em extinção. ( )

b) Releia a frase abaixo observando a construção do período em duas orações.

As previsões mais pessimistas **dão** (1) conta de que diversas espécies de corais **estarão** (2) extintas em 30 ou 50 anos.

As previsões mais pessimistas dão conta → de alguma coisa.
1 2

A que palavra da oração 1 está diretamente relacionada a oração 2? Copie-a:

____

c) Pode-se concluir que a oração 2 no item anterior exerce a função de:

- complemento do verbo da oração 1. ( )
- sujeito da oração 1. ( )
- complemento nominal do termo *conta*. ( )
- predicativo do sujeito *previsões*. ( )

d) Preservando o sentido da frase do item **b**, reescreva-a transformando-a em um período simples, isto é, em apenas uma oração.

____

____

____

____

e) Releia esta frase:

Isso certamente levaria **não apenas** ao desaparecimento de outras espécies, (1) **como** poderia levar ao colapso de economias baseadas na pesca. (2)

- Observe os elementos de coesão destacados no período relembrando o que estudou no livro sobre orações coordenadas. Reescreva o período substituindo os elementos coesivos em destaque por outros equivalentes, de modo a não alterar o sentido da frase.

____

____

____

____

____

- Esse período é formado por duas orações. Para torná-lo mais conciso, reescreva-o, transformando a oração 2 em oração reduzida.

____

____

____

____

Desafios da língua

Formação de palavras (I)

Para relembrar:

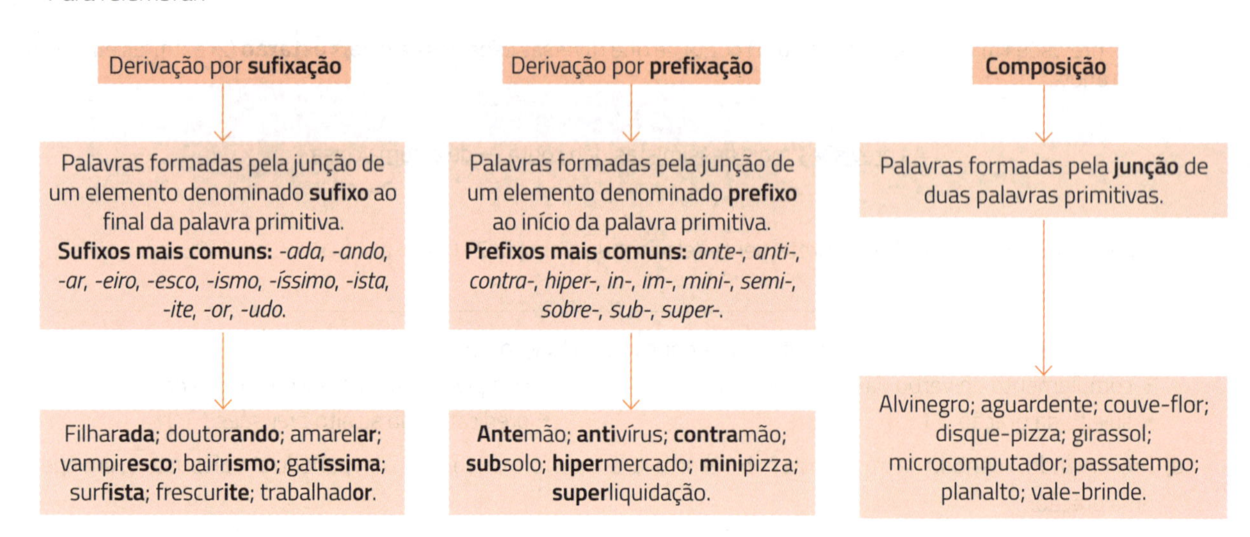

Em seu livro, na Unidade 5, você estudou o gênero entrevista. A seguir, leia trechos de uma entrevista feita com o cartunista Ziraldo.

Ziraldo, o bom

Mineiro de Caratinga, Ziraldo Alves Pinto, ou apenas Ziraldo, largou o diploma de Direito para dedicar-se ao desenho. Foi uma escolha feliz. Hoje é conhecido e reconhecido pelos inúmeros e memoráveis personagens. Um deles, o Jeremias, ganha nova versão. O livro *Jeremias, o bom* (ed. Melhoramentos) foi publicado pela primeira vez na década de 1960 e volta agora repaginado e com histórias censuradas pela ditadura militar. Nessa entrevista para a *Cult*, o escritor, jornalista e principalmente desenhista fala de seu encantamento com a escrita, sobretudo de livros infantis, e diz: "Tenho tanta coisa ainda para fazer!".

Cult — Valeria a pena lançar hoje uma revista infantil de quadrinhos? O público se interessaria ou só *videogames* e internet?

Z. A. P. — Sempre vale a pena. Tem público para tudo. Agora, uma coisa: história em quadrinhos não faz mais parte do que se chamou cultura de massa. Agora, é *cult*. Não dá mais para vender milhões de exemplares de uma revistinha infantil por mês como fazia o Mauricio de Sousa. Meus personagens estão aí, em revistinhas editadas pela Globo. Tudo muito bem-feitinho por uma linha de produção que foge um pouco da minha criação exclusiva. A Globo tem roteiristas, arte-finalistas, *webdesigners*, uma equipe grande. [...]

[...]

Cult — Em quem você se inspirou para criar personagens como a Supermãe, o Menino Maluquinho, o Mineirinho Come-quieto, o Jeremias? Ou todos são você, como diria Flaubert?

Z. A. P. — O Flaubert não disse que todos os personagens dele eram ele. Só a Emma (de *Madame Bovary*). Agora, tanto ele quanto eu (coleguinhas!!!) criamos nossos personagens tirando todos eles das nossas províncias.

Cult — *Flicts* é seu livro mais publicado internacionalmente? Como surgiu o tema para você?

Z. A. P. — O *Flicts* tem tido uma razoável vida internacional. Agora mesmo, acaba de sair em coreano, na íntegra, com bandeira do Brasil e tudo. Não vou contar de novo como foi que ele surgiu. Não aguento mais.

Cult — Ele é ao mesmo tempo simples e sofisticado. Essa dupla qualidade foi intencional? Como foi o desenvolvimento da ideia?

Z. A. P. — Claro que não tem nada de dupla qualidade intencional. De repente, lhe ocorre uma ideia. Como é que você reage a ela? Dizendo: vou fazer, com ela, o melhor possível. É isso.

Cult — Profissionalmente, quais são os seus maiores desafios hoje? Você é muito cobrado?

Z. A. P. — Agora, não sou mais não. E nem tenho de provar mais nada. O que eu sei ou soube fazer já fiz. Agora, é repetir com um pouco mais de competência e segurança. Meus desafios sou eu mesmo quem faço. Tenho tanta coisa ainda para fazer! Ou, como diria minha mãe se referindo a mim: "Ele tem tanta ideia na cabeça". Ainda.

[...]

Cult — Você já foi muito criticado pela "popularização" dos seus personagens, como alguém que teria se rendido ao mercado para ganhar dinheiro. O que você diria aos seus críticos?

Z. A. P. — Fui, é? Se fui, me esqueci. Não sou nem nunca quis ser pintor. Sempre fiz arte narrativa e nunca separei qualquer imagem que eu criei de um significado fora dela. Fiz arte aplicada. O que um artista como eu chama de obra — odeio chamar o que faço por esse nome: minha obra!... que coisa pedante! — só fica pronta quando o decodificador a "decifra". A obra tem duas pontas: a feitura e o entendimento. [...]

CULT — Revista brasileira de cultura. São Paulo: Bregantini, mar. 2007, n. 111, p. 62-63.

1› Nas perguntas feitas pelo entrevistador são encontrados exemplos de palavras formadas por diferentes processos. Circule as palavras derivadas de outras:

a) "Em quem você se inspirou para criar personagens como a Supermãe, o Menino Maluquinho, o Mineirinho Come-quieto, o Jeremias?"

b) "*Flicts* é seu livro mais publicado internacionalmente?"

c) "Profissionalmente, quais são os seus maiores desafios?"

© Ziraldo Alves Pinto/Acervo do cartunista

O personagem O Menino Maluquinho.

2› Das palavras circuladas na atividade anterior, copie uma que sirva de exemplo para cada um dos processos:

a) Prefixação:

___

b) Sufixação:

___

c) Composição:

___

3› Nos trechos a seguir, foram destacadas palavras que têm como base palavras primitivas. Escreva o nome do processo de formação correspondente a cada uma:

a) "Hoje é **conhecido** e **reconhecido** pelos **inúmeros** e **memoráveis** personagens."

b) "O livro *Jeremias, o bom* volta agora **repaginado**."

c) "O **escritor**, **jornalista** e **principalmente desenhista** fala de seu **encantamento** com a escrita."

4› Das falas de Ziraldo reproduzidas a seguir:

- copie as palavras formadas por prefixação ou sufixação;
- indique a palavra primitiva correspondente a cada uma dessas palavras trabalhadas.

a) "Meus personagens estão aí, em revistinhas editadas pela Globo. A Globo tem roteiristas, arte-finalistas, *webdesigners*, uma equipe grande."

Divulgação/Arquivo do cartunista

O cartunista mineiro Ziraldo, criador do personagem O Menino Maluquinho, entre outros.

b) "Não gostávamos de ser chamados de caricaturistas, mas de desenhistas de humor."

c) "A obra tem duas pontas: a feitura e o entendimento."

Grandes histórias em pequenos capítulos

Período composto (III)

Processo de subordinação e coesão (II): orações subordinadas adverbiais

Para relembrar:

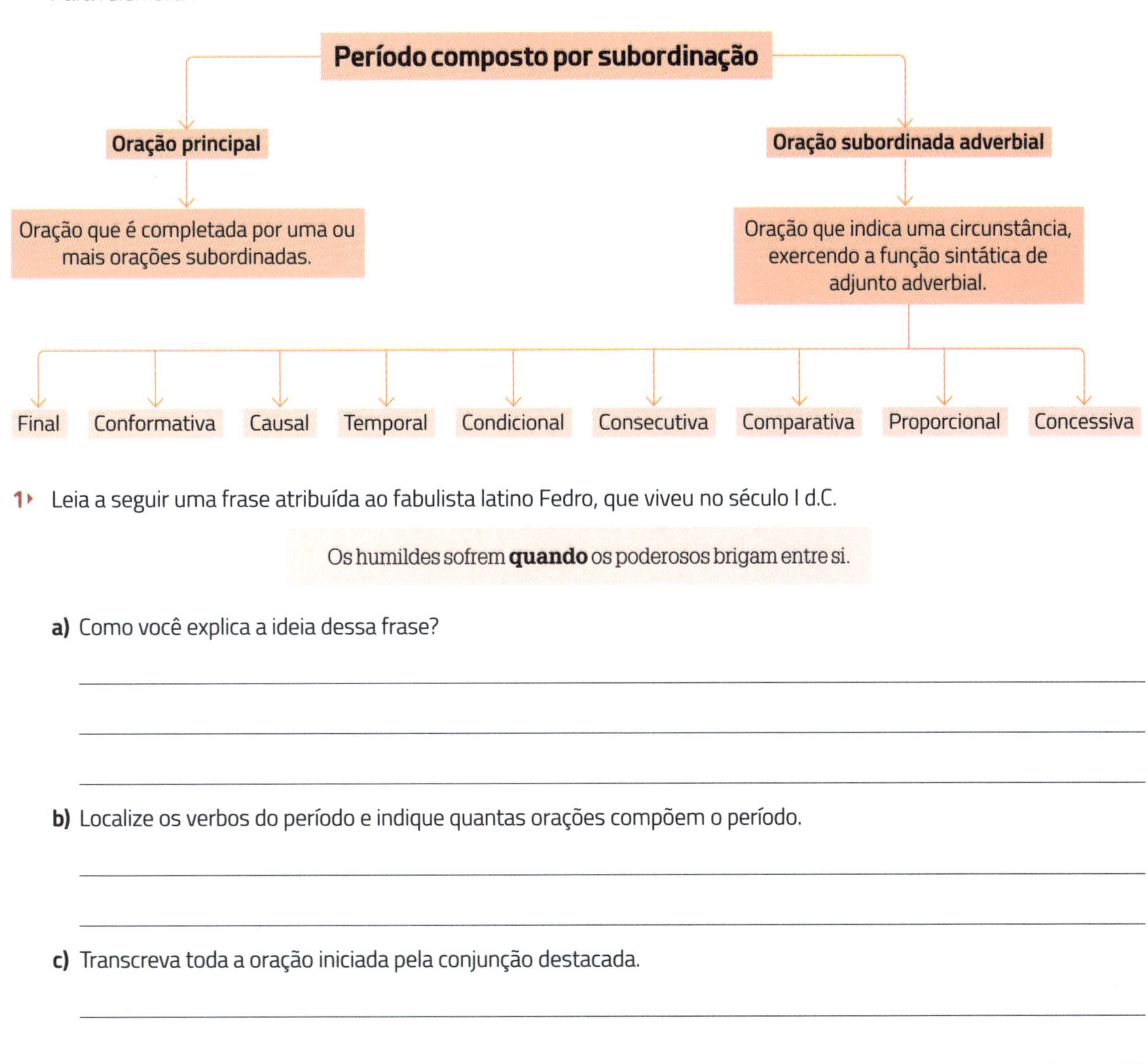

1▸ Leia a seguir uma frase atribuída ao fabulista latino Fedro, que viveu no século I d.C.

Os humildes sofrem **quando** os poderosos brigam entre si.

a) Como você explica a ideia dessa frase?

____

____

____

b) Localize os verbos do período e indique quantas orações compõem o período.

____

____

c) Transcreva toda a oração iniciada pela conjunção destacada.

____

____

d) A conjunção em análise indica que a oração expressa que tipo de circunstância? Assinale a resposta adequada.

- modo ( )
- causa ( )
- tempo ( )
- concessão ( )

2› Leia este trecho de uma notícia de jornal:

> **À medida que** as más notícias sobre a economia da Grécia se avolumam, os cidadãos de Atenas grudam os olhos na televisão à espera de uma solução de paz entre o país e a União Europeia.
>
> *O Estado de S. Paulo*. São Paulo, 1º jun. 2015, p. B1.

StevenK/Shutterstock

Vista da cidade de Atenas, na Grécia, em 2019. No destaque, o Partenon.

a) Atenas é a capital da Grécia. De acordo com a notícia, que motivo leva os cidadãos de Atenas a ficarem tão atentos à TV?

______

______

______

b) Localize e transcreva os verbos desse período. Quantas orações o compõem?

______

______

c) Observe a locução conjuntiva destacada no início do período: "à medida que". Essa expressão estabelece entre as orações uma relação de:

- consequência entre as ações expressas nas orações. ( )
- finalidade entre os fatos expressos no período. ( )
- alteração de um fato à proporção que outro fato ocorre. ( )
- tempo entre os fatos expressos no período. ( )

d) Para tornar o período mais conciso, reescreva-o reduzindo a oração iniciada por locução conjuntiva, sem alterar o sentido da frase.

______

______

______

______

______

3› Leia os períodos a seguir e escreva qual é o tipo de oração adverbial em destaque em cada caso.

a) **Já que o tempo não mudou**, é melhor adiarmos a viagem.

______

b) Entregaremos o trabalho final, **mesmo que precisemos passar a madrugada acordados**.

______

c) **Se eu não conhecesse tanto você**, diria que você me decepcionou.

____

d) **Como diziam os antigos**, onde há fumaça há fogo...

____

e) A confusão causada pelo incêndio foi tanta **que nem os bombeiros conseguiram organizar a saída de todos**.

____

4› Leia esta tira:

SCHULZ, Charles M. *Snoopy 9*: pausa para soneca. Porto Alegre: L&PM, 2013. p. 21.

a) Nessa tira, os irmãos Charlie Brown e Sally conversam sobre uma tarefa escolar. Assinale a alternativa que indica o que podemos inferir das falas e da expressão dos personagens:

- Expressam revolta pela tarefa a ser feita. ( )
- Revelam incompreensão sobre o que deve ser feito. ( )
- Revelam ansiedade para realizar a tarefa. ( )
- Demonstram insegurança em relação ao que deve ser feito. ( )

b) Releia esta fala de Sally:

> — Precisamos escrever um pequeno texto para a escola **expressando a nossa filosofia pessoal**...

O trecho destacado é uma oração reduzida construída com a forma verbal no gerúndio. Reescreva esse trecho de duas formas diferentes, mantendo a mesma ideia. Você poderá empregar orações reduzidas ou orações desenvolvidas.

____

____

____

____

5› Reescreva os períodos abaixo, transformando as orações desenvolvidas destacadas em orações reduzidas. Para isso, siga duas regras:

- Empregue os verbos nas formas nominais (infinitivo, gerúndio e particípio);
- Não utilize conjunções.

a) **Quando você arrumar seus livros**, veja se encontra o que lhe emprestei...

____

____

b) **Como já previa muito barulho durante a festa**, providenciou um lugar com isolamento acústico.

c) Levou malas com mais agasalhos **para que o frio intenso não o surpreendesse**.

d) Não conseguiu voltar a dirigir, **embora tivesse ficado clara sua inocência no acidente**.

O período composto no dia a dia

No dia a dia, empregamos em um mesmo período orações coordenadas e subordinadas, sem atentar para essa classificação. Isso acontece porque as necessidades de estruturação de nossas ideias mesclam inúmeras possibilidades, que utilizamos sem perceber.

Desafio. Você deverá analisar como foram organizados os períodos do trecho inicial de uma notícia, analisando principalmente as relações entre as ideias. Leia:

Índios usarão celulares em árvores para vigiar floresta

Aldeias do Pará testarão sistema que detecta sons de motosserra e caminhões

Rafael Garcia, de S. Paulo

Quando madeireiros clandestinos entram na terra indígena Alto Rio Guamá, em geral não há ninguém por perto para flagrar a invasão. Se o sistema de alerta que os índios querem implementar der certo, porém, celulares farão o ruído das motosserras viajar dezenas de quilômetros e chegar até seus caciques. [...]

Folha de S.Paulo. São Paulo, 24 nov. 2014. p. C7.

a) Releia o primeiro período desse parágrafo, observando a divisão feita entre as orações que o compõem:

Quando madeireiros clandestinos entram na terra indígena Alto Rio Guamá, | (1)

em geral não há ninguém por perto (2) | para flagrar a invasão. (3)

Copie os verbos de cada uma dessas orações.

Nik Neves/Arquivo da editora

b) Transcreva o elemento de coesão empregado na primeira oração e classifique-a de acordo com a ideia expressa.

c) Observe as outras duas orações. Transcreva a que expressa ideia de finalidade.

____

d) Sem alterar o sentido geral do período, reescreva-o alterando a ordem das orações, destacando outro elemento da frase. Faça as adaptações necessárias.

____

____

____

____

____

____

____

Desafios da língua

Regência verbal

Para relembrar:

Regência
Relação de dependência que se estabelece entre dois termos.

Regência verbal
Trata das relações de dependência entre o **verbo** (termo regente) e o seu **complemento** (termo regido), analisando se há necessidade ou não do uso de preposição.

Regência nominal
Trata das relações de dependência entre o **nome** (termo regente) e o seu **complemento** (termo regido) mediadas sempre por uma **preposição**.

Em *Desafios da língua* da Unidade 4 de seu livro, você observou como a regência do verbo pode alterar o sentido do que se está comunicando. Leia os pares de frases:

O grupo **aspirava** o ar puro da serra enquanto esperava pela chegada do lanche da tarde.
(= respirava)

Nik Neves/Arquivo da editora

O grupo **aspirava** a uma decisão favorável à melhoria da remuneração.
(= desejava)

A proposta ia **ao encontro das** expectativas do grupo.
(= estava em acordo com)

A proposta ia **de encontro às** expectativas do grupo.
(= estava em desacordo com)

Como a relação entre o verbo e o sentido, nesses casos, é estabelecida por uma palavra de ligação, é comum suprimi-la ou trocá-la em comunicações menos monitoradas, como as conversas do dia a dia. Nesses casos, o contexto é que ajuda a identificar o sentido do verbo.

Para relembrar:

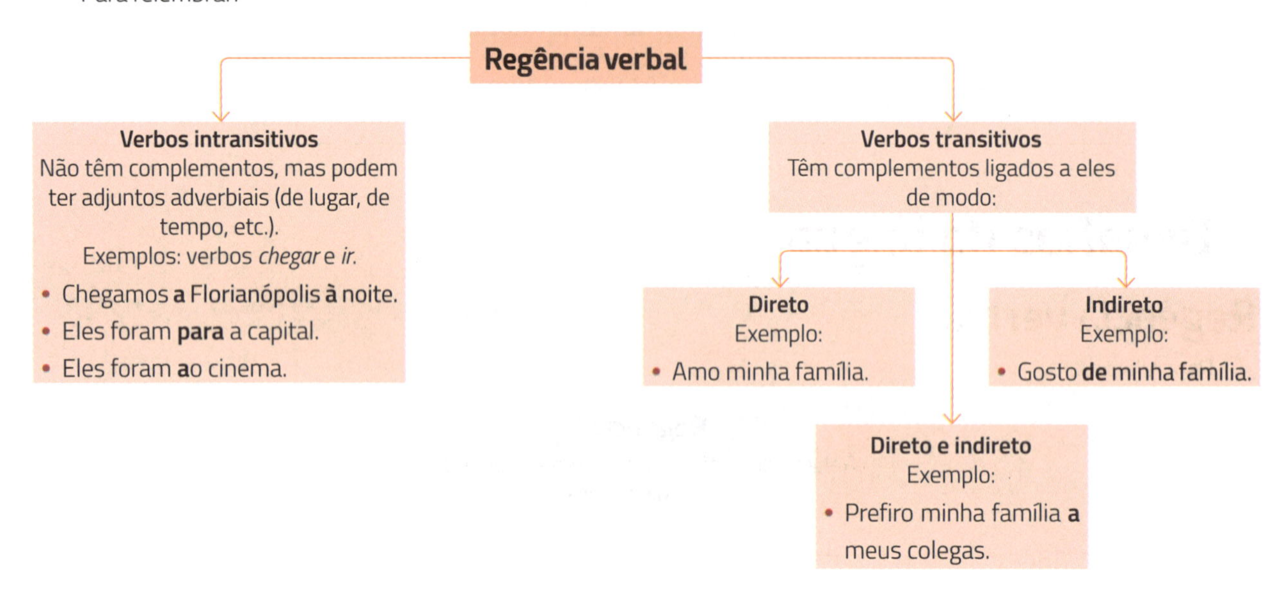

1› Leia as frases a seguir e complete-as com uma preposição adequada quando a regência do verbo exigir. Na dúvida, consulte um dicionário.

a) Ele obedeceu _______ seus pais.

b) Ninguém namorava _______ Maíra.

c) Todos antipatizavam _______ aquela pessoa.

d) Ninguém respondeu _______ nosso questionário.

e) Fomos assistir _______ seu espetáculo, mas ninguém conseguia ouvir o diálogo entre os atores.

f) O júri condenou _______ nosso cliente por unanimidade.

g) Lembrava-se _______ seus amigos a todo instante, durante a viagem.

h) O novo critério prejudicou _______ diversos participantes do torneio de tênis.

i) O banco não perdoou _______ os devedores a enorme dívida.

j) Enviaremos _______ os moradores afetados pelas enchentes os agasalhos arrecadados.

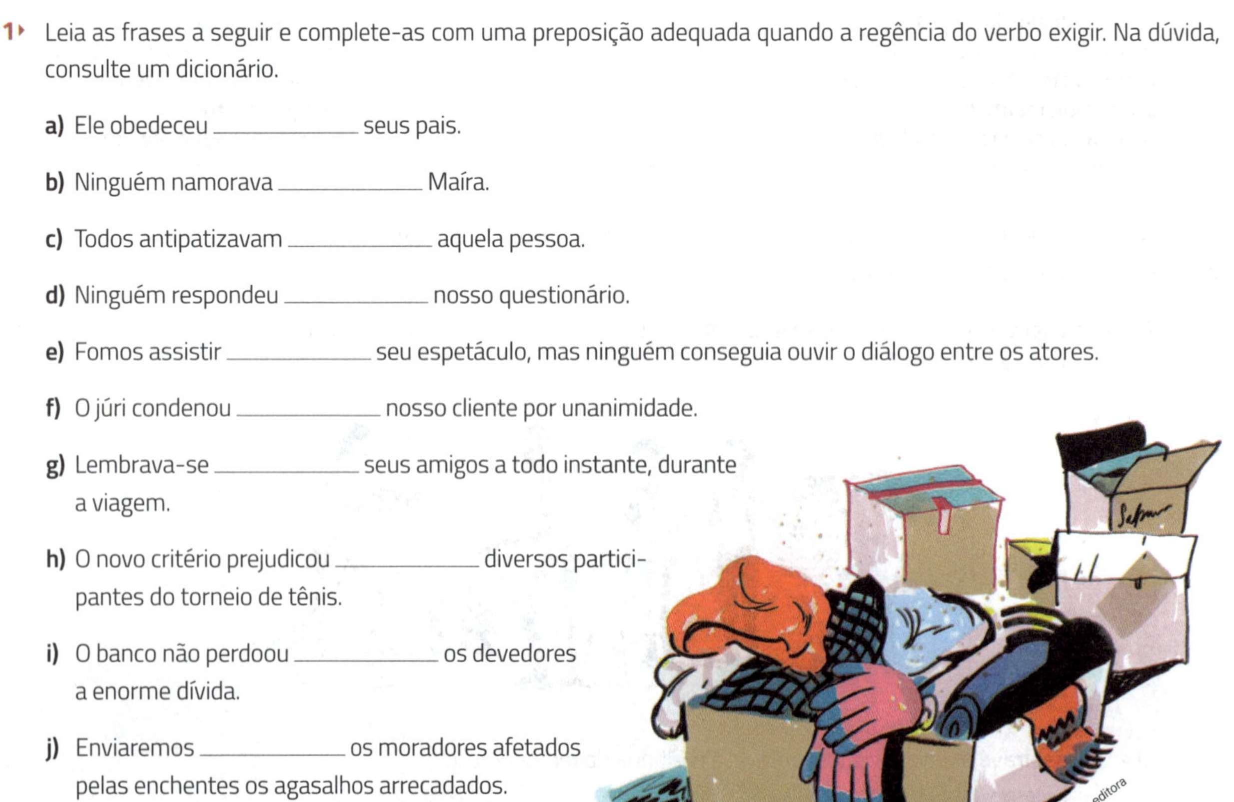
Nik Neves/Arquivo da editora

2› Na Unidade 4, você viu como a mudança de regência altera o sentido de alguns verbos. Consulte o quadro de regências nas páginas 172-173 do livro para reescrever as frases a seguir substituindo a expressão destacada pela forma verbal apropriada do verbo entre parênteses. Faça as demais modificações necessárias.

a) Nunca **sorvi** perfume tão gostoso. (aspirar)

b) Nunca **desejei** este cargo. (aspirar)

c) **Gostamos** mais dos desafios em equipe. (preferir)

Nik Neves/Arquivo da editora

d) **Gostamos** mais dos desafios em equipe do que dos individuais. (preferir)

e) Ainda falta **rubricar** muitos papéis. (visar)

f) O assistente do diretor **pretendia** o cargo de presidente da empresa. (visar)

g) O exército **mirou** o esconderijo, mas acertou a escola. (visar)

h) Os documentos contra o réu eram longos, mas não se **justificavam**. (proceder)

i) A juíza **iniciou** a leitura da sentença. (proceder)

3▸ No dia a dia é comum usarmos construções como as que estão listadas a seguir. Observe o que está destacado e reescreva as frases de forma a adequá-las às regras da gramática normativa.

a) Prefiro Matemática **do que** História.

b) **Lembrei** sempre de você.

c) Mariana **se antipatizou com** ele desde que o encontrou naquela festa.

Nik Neves/Arquivo da editora

d) Custamos muito **para** perceber o perigo que corríamos.

e) Cidadania implica **em** direitos e deveres.

f) Há meses não pagam **os** funcionários.

g) O governo está pensando em **perdoar os** empresários inadimplentes.

h) Ele sabe quantas vezes foi ajudado e sempre agradece **os** amigos.

i) Nunca **esqueço** de fazer minhas tarefas assim que almoço.

j) Com a nova organização, ela evita **de** perder objetos quando precisa deles.

Texto

Passe de mágica

Moacyr Scliar

Mágicos fazem congresso para aprender novos truques.
Evento de cinco dias em Barueri (SP) teve mercado de mágica e conferências com ilusionistas internacionais.

Folha de S.Paulo. São Paulo, 3 nov. 2004. Cotidiano.

O congresso ultrapassou as melhores expectativas dos organizadores. Não apenas o número de participantes era muito grande, como também a qualidade dos truques apresentados por mestres internacionais revelou-se soberba. Além disso, o clima era de amável convivência, mesmo porque ali todos mais ou menos se conheciam. Estavam hospedados em um único hotel e, durante as refeições, o papo fluía animado, todos trocando ideias sobre mágica e ilusionismo.

No terceiro dia apareceu um desconhecido. Era um homem de meia-idade, simpático, elegantemente vestido, falando português com um forte mas indefinido sotaque. Apresentava-se como o Grande Astor e dizia ter sido convidado para apresentar um original número de mágica, exibindo inclusive a cópia do *e-mail* que teria recebido. Ninguém, na comissão organizadora, lembrava-se desse *e-mail*; a verdade, porém, é que os preparativos haviam sido apressados e confusos, e o convite bem poderia ter sido expedido por iniciativa de alguém.

De qualquer modo, seria uma descortesia mandar embora o Grande Astor, que, ademais, parecia de fato um experiente ilusionista. Seu número passou a ser aguardado com certa expectativa e foi apresentado no encerramento do congresso. No pequeno palco da sala de espetáculos havia uma vistosa caixa de madeira. O Grande Astor pediu que o colocassem ali, que fechassem a tampa com cadeados e que, depois de 30 segundos, a abrissem. Isso foi feito: não havia ninguém na caixa, claro. Os mágicos aguardaram que o Grande Astor aparecesse para explicar o truque, mas ele tinha mesmo sumido. Número notável, todos reconheciam, mas, ao mesmo tempo, inquietante.

Nik Neves/Arquivo da editora

Quando voltaram para o hotel tiveram outra, e desagradável, surpresa. Objetos tinham desaparecido, como por encanto, de todos os apartamentos: celulares, *laptops*, relógios, sem falar em joias e dinheiro. E o gerente estava transtornado: sua mulher, uma bela e sensual morena, também sumira.

Ficou claro por que o Grande Astor não reaparecera para receber o troféu Mandraque, a que fazia jus por ter apresentado o melhor número do evento; ele, por assim dizer, simplificara as coisas, como se constatou ao abrir o armário onde ficava a bela estatueta. Ela tinha sumido. Como por passe de mágica, diriam vocês? Pois é. Como por passe de mágica.

Folha de S.Paulo. São Paulo, 8 nov. 2004. Cotidiano. p. C2.

1› Releia a notícia que inspirou a crônica de Moacyr Scliar:

Mágicos fazem congresso para aprender novos truques.

Evento de cinco dias em Barueri (SP) teve mercado de mágica e conferências com ilusionistas internacionais.

Folha de S.Paulo. São Paulo, 3 nov. 2004. Cotidiano.

a) Você já estudou que a notícia precisa apresentar informações essenciais de um fato. Identifique e copie os dados conforme as questões abaixo.

- O que acontece: ______________________________
- Onde: ______________________________
- Quando: ______________________________

b) A indicação da fonte de onde foi extraída a notícia ajuda o leitor a precisar melhor um dos elementos do item **a**. Qual?

- O que acontece. ( )
- Onde. ( )
- Quando. ( )

Explique:

____

____

2› Ao basear um conto — texto ficcional — em um fato apresentado como notícia em um jornal, provavelmente o escritor teve como intenção:

a) fazer o leitor acreditar que a história narrada no conto é verdadeira. ( )

b) inspirar-se no relato de um fato real para criar uma narrativa de ficção. ( )

c) fazer o leitor desacreditar da notícia. ( )

d) deixar claro para o leitor que todo conto se baseia em fatos reais. ( )

3› Em relação às marcas de tempo do conto, pode-se afirmar que:

a) as marcas de tempo são as explicitadas no texto da notícia. ( )

b) o conto dá continuidade ao tempo da notícia. ( )

c) o tempo do conto é indeterminado, ao contrário do tempo da notícia. ( )

d) os fatos ocorrem no mesmo tempo indicado pela notícia. ( )

4› O elemento fundamental que distingue o conto da notícia é:

a) a notícia apresenta dados que podem ser apurados para comprovação da veracidade dos fatos. ( )

b) a presença, no conto, de detalhes que não são cabíveis em uma notícia de jornal. ( )

c) a linguagem figurada predominante na notícia. ( )

d) a linguagem objetiva e descritiva no conto. ( )

5› Releia o primeiro parágrafo do conto e assinale a alternativa correta. Pode-se considerar esse trecho:

a) o clímax do enredo. ( )

b) o conflito que desencadeia outros fatos. ( )

c) o desfecho dos conflitos. ( )

d) a situação inicial de equilíbrio. ( )

6› Releia:

> No terceiro dia apareceu um desconhecido. Era um homem de meia-idade, simpático, elegantemente vestido, falando português com um forte mas indefinido sotaque. Apresentava-se como o Grande Astor e dizia ter sido convidado para apresentar um original número de mágica, exibindo inclusive a cópia do *e-mail* que teria recebido. Ninguém, na comissão organizadora, lembrava-se desse *e-mail*; a verdade, porém, é que os preparativos haviam sido apressados e confusos, e o convite bem poderia ter sido expedido por iniciativa de alguém.

Nesse trecho há um indício de que poderia haver algo errado com o desconhecido. Esse indício é:

a) ninguém lembrar-se do *e-mail* enviado para o desconhecido. ( )

b) o desconhecido ter sotaque indefinido. ( )

c) os preparativos terem sido feitos apressadamente. ( )

d) o desconhecido estar vestido de forma muito elegante. ( )

7› Releia:

> Os mágicos aguardaram que o Grande Astor aparecesse para explicar o truque, **mas** ele tinha mesmo sumido

O elemento de coesão *mas*, presente nesse trecho:

a) indica o momento de descoberta do farsante. ( )

b) prepara o leitor para o clímax da história. ( )

c) indica para o leitor a razão do desaparecimento do personagem. ( )

d) mostra a contradição entre a notícia e o conto. ( )

Nik Neves/Arquivo da editora

8› Releia esta frase:

> **Ficou claro** por que o Grande Astor não reaparecera para receber o troféu Mandraque [...].

O que indica a expressão destacada? Assinale a resposta adequada.

a) O retorno à situação de equilíbrio inicial do conto. ( )

b) O segundo momento de suspense do conto. ( )

c) O esclarecimento dos fatos, que estrutura o desfecho da narrativa. ( )

d) Apenas um encadeamento para ligar partes do enredo. ( )

9› Releia a frase final do conto:

> Como por passe de mágica, diriam vocês? Pois é. Como por passe de mágica.

O que revela essa frase? Assinale a resposta adequada.

a) Um narrador que participa da narrativa e se aproxima do leitor. ( )

b) Um narrador apenas observador, mas que deseja que o leitor perceba sua presença. ( )

c) Um narrador apenas observador, que desconsidera o leitor. ( )

d) Um narrador que participa da narrativa, mas quer o leitor distante do fato. ( )

Conhecer pessoas interessantes

Período composto (IV)

Orações subordinadas adjetivas

Para relembrar:

Período composto por subordinação

Oração principal: é independente; não exerce função sintática em relação a outra oração do período.

Oração subordinada: exerce função sintática em relação a outra oração do período. Ela pode ser:

Adjetiva: exerce função de adjetivo ou de expressão adjetiva de um termo antecedente.

Conectivos: pronomes relativos: *que, quem, onde, o qual, a qual, os quais, as quais, cujo, cuja, cujos, cujas, quanta...*

Substantiva

Adverbial

Você faz parte de alguma "panelinha"?

Leia duas possíveis acepções da palavra *panelinha*:

panelinha 1 Grupo fechado **2** Grupo que protege e reparte vantagens apenas entre seus membros.

Observe mais atentamente as definições:

1. Grupo fechado

substantivo — adjetivo (palavra que caracteriza o substantivo)

2. Grupo que protege

substantivo — oração que caracteriza o substantivo (= protetor) oração subordinada adjetiva

Nik Neves/Arquivo da editora

A seguir, leia trechos de uma reportagem na qual há diversas orações adjetivas que caracterizam termos de outras orações do período.

A

Panelinha na escola

Na escola é sempre assim: tem a galera dos meninos e meninas **que são populares** (a), a dos *nerds*, **que estudam bastante** (b), a dos esportistas, **que se dão bem em todos os esportes** (c). São as "panelinhas" **que privilegiam** (d) aqueles **que participam delas** (e).

Yes!Teen. Osasco: Instituto Brasileiro de Cultura, [s.d.]. Adaptado.

1› No trecho **A**, as orações adjetivas já estão destacadas (de **a** até **e**). Escreva o termo que cada uma delas caracteriza:

a) ______________________________

b) ______________________________

c) ______________________________

d) ______________________________

e) ______________________________

2› Indique o adjetivo que poderia substituir a oração subordinada adjetiva neste trecho:

[...] a dos nerds, **que estudam bastante** [...]

____

3› Leia o trecho **B**.

B

Receita para formar uma panelinha

Juntar **pessoas** que se gostam, que curtem o mesmo assunto e que não se desgrudam.

Idem, ibidem.

Rawpixel.com/Shutterstock

Transcreva as orações adjetivas que se referem ao termo destacado.

____

____

4▸ Leia o trecho **C**.

C

Se participar de uma panelinha, cuidado

Se for um grupo muito fechado, você pode:
a) deixar de conversar com gente que é interessante;
b) deixar de fazer coisas de que gosta porque quer acompanhar a turma;
c) tratar bem amigos e tratar com indiferença aqueles que não fazem parte da panelinha;
d) ter trabalho para arrumar outro grupo que aceite você porque ficou muito tempo com uma turma que era mais fechada.

Yes! Teen. Osasco: Instituto Brasileiro de Cultura, [s.d.]. Adaptado.

Transcreva de cada item a oração subordinada adjetiva.

a) ______________________________

b) ______________________________

c) ______________________________

d) ______________________________

5▸ Em cada um dos itens do trecho **C** (de **a** até **d**) determinado termo foi caracterizado por oração adjetiva. Transcreva-os a seguir.

a) ______________________________

b) ______________________________

c) ______________________________

d) ______________________________

6▸ Leia o trecho **D**.

D

Conselhos para os "sem-panelinha"

Se você não faz parte de nenhuma panelinha:
a) procure ser a pessoa que você sempre é;
b) não aceite qualquer coisa que você não queira;
c) não vá contra seus princípios, aceitando comportamentos que não lhe agradam;
d) espere que os amigos aceitem você do jeito que você é;
e) não entre em situações que possam magoar pessoas;
f) não force amizade com pessoas que não têm nada a ver com você.

Idem, ibidem.

Sublinhe a oração adjetiva em cada item e indique com uma seta o termo a que essa oração se refere. Observe o exemplo do item **a**:

a) "Procure ser a pessoa que você sempre é."

b) "Não aceite qualquer coisa que você não queira."

c) "[...] aceitando comportamentos que não lhe agradam."

d) "[...] que os amigos aceitem você do jeito que você é."

e) "Não entre em situações que possam magoar pessoas."

f) "Não force amizade com pessoas que não têm nada a ver com você."

7› Leia a placa a seguir e reescreva-a substituindo a oração adjetiva por uma expressão de mesmo sentido.

O EMPREGO QUE VOCÊ PROCURA PODE ESTAR AQUI

____

8› Leia trechos de algumas notícias sobre animais:

The Washington Post/Getty Images

a) "Projeto Asas faz o resgate, tratamento e soltura de animais que foram vítimas de tráfico."

b) "Manada resgata filhote de elefante que passa mal e cai."

c) "Animais param para ajudar o filhote que caiu em rodovia no parque nacional Kruger, na África do Sul."

d) "Salmão que pode alcançar tamanho de humano está sob ameaça."

e) "Cães são treinados para capturar caçadores de rinocerontes, que serão presos."

f) "Rinoceronte-branco-do-norte está à beira da extinção. Com a morte de Suni, que vive no Quênia, restam apenas seis animais da espécie na Terra."

g) "Caçadores lucram com a venda do marfim, que vale muito mais que ouro ou platina."

h) "'Bebê' rinoceronte que estava desidratado é salvo em beira de estrada."

i) "A história do bebê rinoceronte, que se chama Shadow, tem final feliz: ela está sendo tratada e se recupera bem."

j) "Liam Burrough conseguiu manter calmo o filhote de rinoceronte, até a chegada dos guardas do parque – que solicitaram um helicóptero para transportar o pequeno rinoceronte."

Portal Terra. Disponível em: <http://noticias.terra.com.br/ciencia/animais>. Acesso em: jul. 2015. Adaptado.

No quadro a seguir, transcreva, de cada uma dessas notícias, apenas a oração subordinada adjetiva e o termo caracterizado por ela.

Notícia	Oração subordinada adjetiva	Termo caracterizado
a)		
b)		

Notícia	Oração subordinada adjetiva	Termo caracterizado
c)		
d)		
e)		
f)		
g)		
h)		
i)		
j)		

9› Leia esta tira de Calvin e responda às questões propostas abaixo.

WATTERSON, Bill. *Calvin & Haroldo.*

a) Qual é a habilidade que Calvin demonstra ter desenvolvido?

b) Ao falar sobre as próprias habilidades, Calvin utiliza duas orações subordinadas adjetivas. Transcreva essas orações.

c) A primeira oração se refere às "únicas habilidades". Já na segunda, Calvin utiliza outro termo para se referir às habilidades. Que termo é esse?

10› Leia algumas informações curiosas a seguir. Observe a relação entre nomes e profissões.

Nome completo

Até o século XII, todo mundo só tinha um nome. Por exemplo: João.
Se houvesse várias pessoas com o nome de João, eram dados apelidos:
João Barbeiro — que fazia barba — ou **João Lenhador** — que cortava lenha.
Alguns desses apelidos acabaram virando sobrenomes, como *João Ferreira*, que vem de *ferreiro*.

Recreio. São Paulo: Abril, n. 406. Adaptado.

Nik Neves/Arquivo da editora

Reescreva o texto abaixo substituindo cada oração adjetiva por uma expressão adjetiva ou o contrário (trocando a expressão adjetiva por uma oração adjetiva) sem modificar o sentido original.

Na aldeia havia um João **que escrevia**, um João **que pescava** e um João **que administrava**. Tinha um Pedro **que cantava ópera**, um Pedro **que educava os pequenos** e um Pedro **que navegava pelo rio**. Da mesma forma, havia um João **Malabarista**, um João **Coletor de lixo** e um João **Escultor**. Tinha ainda um Pedro **Fornecedor de mantimentos**, um Pedro **Empalhador de móveis** e, por fim, um Pedro **Carregador de mercadorias**.

____

____

____

____

____

____

11› Complete as orações a seguir com um dos pronomes relativos do quadro abaixo.

onde	cujo (cuja, cujos, cujas)		
de que	em que	quanto	que
qual (o qual, a qual, os quais, as quais)			

a) Essa é a ideia ______________ eu tive.

b) Essa é a ideia ______________ lhe falei.

c) Esse é o rapaz ______________ teve a ideia.

d) Vou lhe apresentar o rapaz ______________ ideia é muito boa.

Nik Neves/Arquivo da editora

12› Reescreva as frases a seguir empregando o pronome relativo *que* de modo a evitar repetição.

a) Comprei uma tevê. A tevê tem tela plana.

____

b) Comi toda a sobremesa. Meu pai tinha preparado a sobremesa.

____

____

c) Encontrei a garota. A garota havia desaparecido.

____

d) Trouxe os sapatos. Você me pediu os sapatos.

____

e) Concordo com as ideias expostas. As ideias foram bem fundamentadas.

____

____

f) Terminamos a pesquisa. A pesquisa havia sido pedida pelo professor de História do Brasil.

____

____

Desafios da língua

Regência nominal

Para relembrar:

Regência nominal

Relação de dependência entre um **nome** (substantivo, adjetivo ou advérbio) e o seu respectivo complemento, mediada sempre por uma **preposição**.

Substantivos

- admiração a, por
- atentado a, contra
- aversão a, para, por
- capacidade de, para
- horror a
- impaciência com
- medo a, de
- ojeriza a, por
- respeito a, com, para com, por

Adjetivos

- acessível a
- afável com, para com
- ávido de
- contemporâneo a, de
- contrário a
- entendido em
- generoso com
- liberal com
- preferível a
- satisfeito com, de, em, por

Advérbios

- longe de
- perto de

Obs.: Os advérbios terminados em *-mente* tendem a seguir o regime dos adjetivos de que são formados:

- paralelo a → paralelamente a
- relativo a → relativamente a

Conhecer a **regência de um verbo** ajuda a conhecer a **regência do nome** que faz parte da **mesma família**, isto é, do nome que é **cognato** desse verbo.

Assim é o caso, por exemplo, de *obedecer* e *obediência*. Ambos transitam pelo complemento (verbal/nominal) com o auxílio da preposição *a*.

1▸ Complete os espaços com a preposição adequada utilizando o artigo quando necessário. Na dúvida sobre regência, consulte um dicionário.

a) É impossível a convivência sem o respeito ________ direitos dos outros.

b) Ela tinha ojeriza ________ pessoas que se recusavam a respeitar os horários estabelecidos.

c) Devemos ter admiração ________ todos aqueles que lutam pela igualdade ________ direitos ________ todos.

d) Seu medo ________ violência é maior que sua obediência ________ procedimentos ________ segurança.

totojang1977/Shutterstock

e) O modo encantador ________ falar dessa senhora que chegou hoje à cidade me deixa curioso ________ saber de onde ela vem.

f) Eles são insensíveis ________ sofrimento da população mais carente.

g) O menino estava acostumado ____________ fazer o que queria.

h) A escassez ____________ água passou a ser uma preocupação ____________ todos.

i) A preocupação ____________ a falta de água causava na população revolta ____________ a administração ____________ reservatórios.

j) É preferível calar-se ____________ dizer asneiras.

2› Reescreva as frases acrescentando a cada uma a preposição que falta para torná-las adequadas ao uso mais monitorado da língua.

a) Era uma pessoa cuja presença todos estavam acostumados.

b) Estávamos ansiosos que essa questão fosse resolvida o mais rápido possível.

c) A moça foi contrária que incluíssem seu nome na relação de testemunhas de acusação no júri.

d) O povo está desejoso que se encontre uma solução para a crise econômica no menor tempo possível e sem prejudicar os mais pobres.

Crase

Para relembrar:

Haverá crase sempre que o termo regente exigir a preposição *a* e o termo regido for compatível com o artigo *a*.

1› Nas frases a seguir, não foi aplicado o acento indicador de crase. Leia-as e reescreva com esse acento os trechos em que ele deveria aparecer.

a) Transmita a cada um dos presentes as instruções necessárias a continuidade da sessão.

b) Estou fora de moda porque não vou a baladas e não assisto a novelas?

c) Fizemos nossa doação a campanha do agasalho.

d) Ninguém pode fazer nada a respeito do triste acontecimento.

e) É preciso dizer que não tenho mais nada a acrescentar a fala do presidente da mesa.

f) Vamos a sua casa ou a minha?

g) A noite, ficaremos apreciando a lua do ponto mais alto da montanha.

h) Quando eles chegaram, as quatro horas, não havia comida suficiente para todos.

i) Eles recomendaram que não saíssemos a rua aquela hora.

j) O pai da noiva entrou na igreja a direita da filha.

2› Escreva nas linhas o sentido de cada uma das frases dos pares a seguir.

a) Às vencedoras enviaram felicitações.

As vencedoras enviaram felicitações.

b) Parecia agradável à primeira vista.

Parecia agradável a primeira vista.

c) Chegou à noite.

Chegou a noite.

Nik Neves/Arquivo da editora

Uma crônica diferente

Coerência e coesão textual

Uso de pronomes

Para relembrar:

	Pronomes pessoais
1ª pessoa	eu/nós
2ª pessoa	tu/vós
3ª pessoa	ele(s)/ela(s)

	Pronomes possessivos
1ª pessoa	meu(s), minha(s), nosso(s), nossa(s)
2ª pessoa	teu(s), tua(s), vosso(s), vossa(s)
3ª pessoa	seu(s), sua(s)

Pronomes demonstrativos	Função	Fazem referência a	Exemplo
este(s), esta(s), isto	no espaço	• objetos ou pessoas próximos de quem fala – 1ª pessoa	• Esta é a moto que mais me agrada.
	no tempo	• fato próximo do momento vivido pelos interlocutores	• Estas enchentes causaram prejuízos.
esse(s), essa(s), isso	no espaço	• objetos ou pessoas próximos da pessoa com quem se fala – 2ª pessoa	• Essa é a moto que mais agrada a você?
	no tempo	• fato relativo a um momento passado ou futuro mais distante de quem fala	• Isso aconteceu comigo há uma semana.
aquele(s), aquela(s), aquilo	no espaço	• objetos distantes, tanto da pessoa que fala quanto da pessoa com quem se fala	• Aquele quadro no museu parecia foto, mas era pintura.
	no tempo	• fato muito distante dos interlocutores	• Aquela enchente aconteceu há mais de um ano.

Paulo Preto/Futura Press

Alagamento na rua Barão do Bananal, Vila Pompeia, em São Paulo (SP), em 2018.

Você tem ou já teve um cão? Saiba quantos cães temos no Brasil lendo o texto a seguir.

População canina no Brasil

O Instituto Brasileiro de Geografia e Estatística (IBGE), responsável pela realização de censos e pesquisas, apresentou, em 2013, uma pesquisa sobre saúde que trouxe resultados interessantes sobre cães domiciliados no Brasil.

Eles somam 52 milhões no levantamento feito no país. Com **esse** número, **nós** somos o segundo colocado no *ranking* mundial dos países com maior população canina. O primeiro lugar ficou com os Estados Unidos (72,4 milhões de cães), e o terceiro, com a China (27,7 milhões de cães).

Um dos objetivos da pesquisa é **este**: saber quantos cães são alimentados adequadamente. Há **aqueles** que só comem ração, mas a pesquisa aponta também que uma grande parcela **deles** (40%) não come **esse** tipo de alimento, sendo alimentada com sobras de comida. **Isso** não é, nem de longe, saudável para **nossa** população canina.

Realmente os cães são muito numerosos em **nosso** país. Não há dúvidas de que **esses** animais são tratados como filhos: além de ter acesso a vacinas e medicamentos, **eles** tomam banho em *pet shops*, preservando a higiene, têm roupas próprias, brinquedos e **aquilo** tudo que pode ser útil ou inútil para o dia a dia **deles**.

Fontes: IBGE e artigo publicado na revista *sãopaulo*, da *Folha de S.Paulo*. São Paulo, 20 jan. 2015.

Dora Zett/Shutterstock

1 Releia este trecho e responda ao que se pede:

> [...] eles tomam banho em *pet shops*, preservando a higiene, têm roupas próprias, brinquedos e aquilo tudo que pode ser **útil** ou **inútil** para o dia a dia deles.

a) Cite exemplos do que pode ser **útil** para o dia a dia dos cães.

____

____

____

b) Escreva algo que você considere **inútil** para o dia a dia dos cães.

____

____

____

2 No texto há vários pronomes destacados. Quais podem ser classificados como:

a) pessoais?

____

b) possessivos?

____

c) demonstrativos?

____

3› A que termo se referem os pronomes destacados nos trechos transcritos a seguir?

a) "**Eles** somam 52 milhões"

____

b) "**nós** somos o segundo colocado"

____

c) "**esse** número"

____

d) "para o dia a dia **deles**"

____

e) "**nossa** população canina"

____

f) "**aquilo** tudo"

____

4› Transcreva os trechos do texto em que foram usados pronomes demonstrativos para fazer referência a:

a) ração

____

b) alimentar os cães com sobras de comida

____

5› Copie a seguir os trechos em que foram empregados pronomes para referir-se especificamente a cães. Em seguida, contorne esses pronomes.

____

____

6› Os pronomes empregados no texto para referir-se aos cães:

- substituem a palavra *cães*. ( )
- localizam os animais no tempo e no espaço. ( )
- auxiliam o leitor a distingui-los dos gatos. ( )
- ajudam a evitar a repetição da palavra *cães*. ( )

7› Releia este trecho:

> Um dos objetivos da pesquisa é **este**: saber quantos cães são alimentados adequadamente.

a) O pronome demonstrativo *este* faz referência a quê?

____

b) Qual é a função do pronome *este* no trecho? Assinale a alternativa correta.

- Evitar repetir a mesma ideia. ( )
- Substituir a palavra *cães*. ( )
- Fazer referência a um trecho anterior. ( )
- Antecipar, anunciar uma ideia. ( )

8› Para dar sentido ao texto a seguir, leia-o e preencha as lacunas apenas com pronomes demonstrativos.

> O Photoshop é um programa de computador utilizado para trabalhar com imagens. Você pode mudar a luminosidade ______________ fotos que ficaram escuras ou transformar em preto e branco ______________ originalmente coloridas. ______________ programa é muito usado por ______________ que trabalham com fotografia, ilustração ou *design* gráfico.

9› Imagine que as notícias a seguir foram destaque em alguns jornais. Leia-as e preencha as lacunas com o pronome demonstrativo adequado.

a) Acontece hoje o Seminário Menos é Mais. ______________ seminário abordará o consumo consciente.

b) Miss Mundo perde a coroa. ______________ aconteceu porque ela mentiu sobre seu estado civil.

c) Depois do deslizamento foram retiradas ______________ pessoas que moravam no local atingido.

d) ______________ não se faz: funcionários do estádio dizem que o time adversário entupiu as pias do vestiário após a derrota.

Desafios da língua

Formação de palavras (II)

1› Leia este parágrafo do texto "A origem de tudo", prestando atenção nas palavras em destaque:

> Primeiro havia o Caos, uma matéria completamente crua, **indiferenciada**, **indefinível**, **indescritível** que existia desde a eternidade e que era o princípio de todas as coisas. É **impossível** saber o que havia antes — como acontece no Universo do mundo real, em que os físicos não se arriscam a dizer o que havia antes do Big Bang.
>
> BOTELHO, José F.; HORTA, Maurício; NOGUEIRA, Salvador. Mitologia: deuses, heróis e lendas. *Superinteressante*. São Paulo: Abril, 2013.

Essas palavras são formadas pelo acréscimo de **in-** ou **im-** (antes de **p** e **b**). Veja o sentido que esse acréscimo produziu:

- indescritível = **in-** + descritível: que não se pode descrever;
- impossível = **im-** + possível: que não é possível.

Portanto, **in-** e **im-** dão a ideia de **negação**.

a) Complete o quadro com **in-** e **im-** conforme indicado.

	Palavra original	Palavra formada
(+ in-)	acessível	
	ativo	
	calculável	
	coerente	
	comparável	
(+ im-)	paciente	
	perceptível	
	parcial	
	par	
	prorrogável	

b) Complete o quadro com **i-** e **ir-** conforme indicado.

	Palavra original	Palavra formada
(+ i-)	legal	
	legítimo	
	mortal	
	moral	
(+ ir-)	racional	
	real	
	regular	
	reversível	

2› Leia a tira da Mafalda reproduzida abaixo e, em seguida, faça o que se pede.

QUINO. *Toda Mafalda*. São Paulo: Martins Fontes, 2008. p. 163.

a) Por que, segundo Mafalda, o mundo está enfraquecendo de desgosto?

____

____

____

____

b) O que significa a palavra *desgosto*? Se necessário, consulte o dicionário.

____

____

____

A palavra *desgosto* é formada pelo acréscimo de **des-**, que indica **ausência**, **negação**, **privação**, **falta** de algo. Outros exemplos:

- **des**amparo: sem amparo;
- **des**apego: falta de apego;
- **des**cuidado: que não tem cuidado.

3› Complete o quadro a seguir usando o mesmo raciocínio percebido nos exemplos anteriores.

	Palavra original	Palavra formada
(+ des-)	abafar	
	abotoado	
	aconselhável	
	acordado	
	acostumado	
	ajustado	
	amarrado	
	bloqueado	
	cafeinado	
	centralizado	
	concentrado	
	considerado	
	dentado	
	mamar	
	nortear	
	nutrido	
	obedecer	
	sensibilizar	
(+ de-)	composição	
	crescer	
	formado	
	gelado	
	mérito	

CONHECIMENTO EM TESTE

Texto 1

Eu, hein?... nem morta!

Luis Fernando Verissimo

Era uma vez... numa terra muito distante... uma princesa linda, independente e cheia de autoestima.

Ela se deparou com uma rã enquanto contemplava a natureza e pensava em como o maravilhoso lago do seu castelo era relaxante e ecológico...

Então, a rã pulou para o seu colo e disse:

— Linda princesa, eu já fui um príncipe muito bonito. Uma bruxa má lançou-me um encanto e transformei-me nesta rã asquerosa. Um beijo teu, no entanto, há de me transformar de novo num belo príncipe e poderemos casar e constituir lar feliz no teu lindo castelo. A tua mãe poderia vir morar conosco e tu poderias preparar o meu jantar, lavar as minhas roupas, criar os nossos filhos e seríamos felizes para sempre...

Naquela noite, enquanto saboreava pernas de rã *sautée*, acompanhadas de um cremoso molho acebolado e de um finíssimo vinho branco, a princesa sorria, pensando consigo mesma:

— Eu, hein?... nem morta!

Nik Neves/Arquivo da editora

Disponível em: <http://pensador.uol.com.br/cronicas_de_luis_fernando_verissimo>. Acesso em: 15 fev. 2019.

sautée: palavra francesa; o mesmo que salteada, isto é, frita em óleo bem quente.

1 Na frase "e transformei-me nesta rã asquerosa", o termo *asquerosa* significa o mesmo que:

a) nojenta. ( )
b) irreconhecível. ( )
c) solitária. ( )
d) corajosa. ( )

2 A passagem que produz o efeito de humor no desfecho dessa história é:

a) "poderemos casar e constituir lar feliz no teu lindo castelo". ( )
b) "A tua mãe poderia vir morar conosco". ( )
c) "enquanto saboreava pernas de rã *sautée*". ( )
d) "seríamos felizes para sempre..." ( )

3 Releia o parágrafo inicial: "Era uma vez... numa terra muito distante... uma princesa linda, independente e cheia de autoestima". As reticências indicam que:

a) o autor não sabe o que vai dizer. ( )
b) o autor faz interrupções para introduzir a frase que provoca impacto. ( )
c) o narrador é a princesa. ( )
d) todos os contos de fadas começam com reticências. ( )

Texto 2

Palavras emprestadas

Ivan Ângelo

[...]

Quando me alfabetizei, em 1943, havia cerca de 40 000 palavras dicionarizadas no português, segundo Domício Proença Filho, da Academia Brasileira de Letras. Hoje, são mais de 400 000; alguns filólogos estimam em 600 000. Ora, leitora, de onde brotaram tantas palavras? Dos novos hábitos da população, das inovações tecnológicas, das migrações, das gírias, dos estrangeirismos. [...]

Na maioria dos casos, usa-se o estrangeirismo por necessidade. Há palavras estrangeiras inevitáveis, porque designam coisas novas com mais exatidão e rapidez: *airbag*, *shopping center*, *e-mail*, *flash*, *paparazzi*, *smoking*, *slide*, *outdoor*, *jazz*, *rock*, *funk*, *marketing*, *stand-by*, *chip*, *overdose*, *replay*, *videogame*, *piercing*, *rush*, *checkup*, *blush*, *fashion* — e milhares de outras.

Havia inevitáveis que acabaram se adaptando. Já tivemos *goal-keeper* (goleiro), *goal* (gol; o *Estadão* escrevia "goal" até os anos 1960), *offside* (impedimento, impedido), *corner* (escanteio), *volleyball* (voleibol, vôlei), *basketball* (basquete), *surf* (surfe) — e tantas outras.

Centenas delas ficaram bem à vontade quando aportuguesadas: *uísque*, *gol*, *futebol*, *lanchonete*, *drinque*, *iogurte*, *chique*, *conhaque*, *cachê*, *omelete*, *bife*, *toalete*, *clube*, *gangue*, *ringue*, *garçom*, *lorde*, *picles*, *filme*, *time*, *sanduíche*, *cachorro-quente*, *lanche*, *avião*, *televisão* — e por aí vai. [...]

Um grande número delas é dispensável, entra na conta dos pedantes, pois para dizer o que elas querem dizer temos boas palavras nossas de uso corrente: *sale*, *off*, *hair dresser*, *suv*, *personal trainer*, *laundry*, *pet shop*, *fast-food*, *ice*, *freezer*, *prêt-à-porter*, *on-line*, *mailing list*, *bullying*... [...]

ÂNGELO, Ivan. Palavras emprestadas. *Veja*, 20 maio 2011. Adaptado de: <vejasp.abril.com.br/materia/palavras-emprestadas/>. Acesso em: 14 fev. 2019.

▸ Assinale a(s) alternativa(s) que está(ão) de acordo com o posicionamento do autor da crônica:

a) O estrangeirismo é:

- causa dos novos hábitos da população, das inovações tecnológicas, das migrações, das gírias. ( )
- consequência dos novos hábitos da população, das inovações tecnológicas, das migrações, das gírias. ( )
- um uso necessário na sociedade atual. ( )
- um uso desnecessário na sociedade atual. ( )

b) O uso dos estrangeirismos vem do fato de:

- eles nomearem coisas novas para se demonstrar cultura. ( )
- haver necessidade de termos novos na comunicação diária. ( )
- já existirem outras palavras semelhantes na língua portuguesa. ( )
- o falante ridicularizar quem desconhece termos de outra língua. ( )

c) Segundo o autor, o uso do estrangeirismo é, em geral:

- prejudicial, porque reduz o número de palavras existentes na língua materna. ( )
- benéfico, porque amplia o número de palavras existentes na língua materna. ( )
- benéfico, porque torna todo falante nativo um poliglota. ( )
- prejudicial, porque desrespeita as origens da língua portuguesa. ( )

Para defender ideias: palavras

Concordância

Para relembrar:

Concordância
Correspondência feita entre os termos de uma oração por meio de flexões das palavras.

Nominal
Concordância em gênero e número entre os **determinantes** (artigo, adjetivo, numeral, pronome) e o **nome** a que se referem.

Verbal
Concordância do **verbo** (em número e pessoa) com o **sujeito** a que se refere.

Concordância verbal (I)

Casos especiais (I)

Para relembrar:

Concordância verbal

Regra geral
O **verbo** concorda em número e pessoa com o **sujeito** a que se refere.

Casos especiais (I)
Sujeito composto

Anteposto ao verbo
a) o **verbo** fica no **plural**;
b) o **verbo** fica no **singular** se for resumido por termos como *alguém*, *ninguém*, *cada um*, *tudo*;
c) quando formado de pessoas gramaticais diferentes:
- se houver 1ª pessoa, além de 2ª e/ou 3ª, o **verbo** fica na 1ª pessoa do **plural**;
- se houver apenas 2ª e 3ª pessoas, o **verbo** pode ficar na 2ª ou na 3ª pessoa do **plural**.

Posposto ao verbo
O **verbo** fica no **plural** ou **concorda com o núcleo mais próximo**.

1› As frases a seguir foram baseadas em informações de uma reportagem publicada na revista *Recreio* em maio de 2015. Sublinhe o núcleo do sujeito dessas frases. Depois, observe as formas verbais entre parênteses e sublinhe a que estabelece a concordância com o sujeito mais adequada ao uso monitorado da língua.

a) Algumas fontes de energia (prejudica/prejudicam) menos o planeta.

b) Pelas ruas do mundo, já (circula/circulam) carros e ônibus movidos por elas.

c) Mesmo os combustíveis de origem vegetal (emite/emitem) poluentes.

d) A quantidade de veículos ecológicos circulantes no Brasil (é/são) de 3 milhões.

e) Embora já (exista/existam) opções no mercado, esse tipo de automóvel ainda (é/são) muito caro.

f) Assim como toda tecnologia nova, o processo de desenvolvimento (é/são) lento e acessível a poucos.

g) Com o tempo, talvez mais pessoas (possa/possam) adquirir esses "carros do bem".

h) À venda no Brasil, já (existe/existem) vários modelos de bicicleta elétrica, dobrável ou não.

i) Na Grã-Bretanha (existe/existem) ônibus movido a lixo, o Bio-Bus.

j) Com 40 assentos, ele (funciona/funcionam) com gás biometano que (é/são) gerado por meio do tratamento de esgoto e de lixo doméstico.

k) O Bio-Bus (roda/rodam) até 300 quilômetros com um tanque de gás produzido a partir do lixo anual de cinco pessoas.

l) Desde 2013, (circula/circulam) pelas cidades do ABC paulista — Santo André, São Bernardo, São Caetano e Diadema — o E-Bus elétrico.

m) Com 18 metros de comprimento, (anda/andam) 200 quilômetros esses ônibus movidos a bateria.

n) Os alunos, a Dra. Dirce, o diretor e eu (foram/fomos) falar com o prefeito.

o) Os pais, as crianças, os professores, toda a comunidade escolar (foi/foram) falar com o prefeito.

Cesar Diniz/Pulsar Imagens

Ônibus movido a bateria em teste na Virada Sustentável em São Paulo (SP), agosto de 2015.

2› Leia a tirinha reproduzida a seguir.

BECK, Alexandre. *Armandinho*.

Releia esta fala da tira:

> Está na área o maior predador dos oceanos!

Explique a concordância verbal feita nessa frase.

____

____

Casos especiais (II)

Para relembrar:

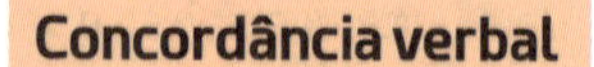

Casos especiais (II)
Sujeitos formados por:

Nomes próprios no plural
- se o sujeito vier com artigo → verbo no **plural**;
- se vier sem artigo → verbo no **singular**.

Expressões de sentido quantitativo
- *a maior parte de, grande parte de, a maioria de...* → verbo no **singular** ou no **plural**;
- *um dos que, uma das que* → verbo no **plural** (predominante) ou no **singular**;
- *mais de, menos de* → verbo concorda com o **numeral** da expressão;
- números percentuais → verbo concorda com o **numeral** da expressão ou com o **termo preposicionado** que especifica a expressão numérica.

Expressões
- *um e outro* e *nem um nem outro* → verbo no **singular** ou no **plural**.

Pronomes relativos

a) que → o verbo concorda com o **antecedente** desse pronome.

b) quem:
- o verbo fica na **3ª pessoa do singular**;

ou
- o verbo concorda com o **antecedente**.

1› Nas frases a seguir, sublinhe o núcleo do sujeito. Depois, observe as formas verbais entre parênteses e sublinhe com dois traços a que estabelece a concordância com o sujeito mais adequada ao uso monitorado da língua. Se ambas estiverem igualmente adequadas, sublinhe as duas.

a) Os Estados Unidos (está/estão) preocupados com o crescente número de moradores de rua nas grandes cidades.

b) Estados Unidos (foi/foram) um país de grandes oportunidades.

c) O Amazonas (estará/estarão) representado durante a reunião sobre o meio ambiente.

Marcos Amend/Pulsar Imagens

Vista do lago Uruá e do rio Jaú no Parque Nacional do Jaú, em Novo Airão (AM), em janeiro de 2019.

d) 70% dos funcionários (aderiu/aderiram) à greve.

e) A maioria dos ouvintes do programa (quer/querem) a aprovação da nova lei.

f) A maioria dos alunos (fez/fizeram) os exercícios rapidamente.

g) A porção líquida do sangue (é/são) o plasma, que (contém/contêm) água, minerais e proteínas. Mergulhadas no plasma (está/estão) as plaquetas, que (tem/têm) a função de fazer o sangue parar de sair quando um vaso se (rompe/rompem), os glóbulos vermelhos e os glóbulos brancos.

h) As chuvas (é/são) raras nos desertos porque a umidade do ar nessas regiões (é/são) muito baixa.

Karol Kozlowski/imageBROKER/Fotoarena

Vista do deserto de Atacama, no Chile, em abril de 2017.

2 Leia os títulos de notícia transcritos a seguir. Assinale a(s) alternativa(s) que explica(m) a concordância verbal em cada uma dessas construções.

a) "Quatro em dez professores **fazem** jornada extra para compor renda" (*Folha de S.Paulo*, 30 jun. 2015, p. B1)

- A forma verbal *fazem* está na terceira pessoa do plural porque concorda com o núcleo do sujeito: *dez*. ( )
- A forma verbal *fazem* está na terceira pessoa do plural porque concorda com a expressão *dez professores*. ( )
- A forma verbal *fazem* está na terceira pessoa do plural porque concorda com o núcleo do sujeito: *quatro*. ( )
- A forma verbal *fazem* está na terceira pessoa do plural, mas também poderia estar na terceira pessoa do singular: *faz*. ( )

b) "No país, 41% dos docentes da rede básica **têm** atividades complementares dentro e fora da educação" (*Folha de S.Paulo*, 30 jun. 2015, p. B1)

- O verbo está na terceira pessoa do singular porque concorda com o substantivo *rede*. ( )
- O verbo está na terceira pessoa do plural porque concorda com a expressão numérica *41%*. ( )
- O verbo está na terceira pessoa do singular porque concorda com a expressão numérica *41%*. ( )
- O verbo está na terceira pessoa do plural porque concorda ainda com o termo preposicionado *dos docentes*. ( )

c) "Um em cada cinco brasileiros **economiza** dinheiro para o futuro" (Disponível em: <https://noticias.r7.com/economia/um-em-cada-cinco-brasileiros-economiza-dinheiro-para-o-futuro-12032019>. Acesso em: 13 mar. 2019.)

- O verbo está na terceira pessoa do singular porque concorda com o núcleo do sujeito: *um*. ( )
- O verbo está na terceira pessoa do singular porque concorda com a expressão *cada*. ( )
- O verbo está na terceira pessoa do singular porque concorda com o núcleo do sujeito: *cinco*. ( )
- A forma verbal *economiza* está na terceira pessoa do singular, mas o verbo também poderia estar na terceira pessoa do plural: *economizam*. ( )

d) "Mais de 60% dos brasileiros **desperdiçam** alimento em bom estado, diz pesquisa" (Disponível em: <https://istoe.com.br/mais-de-60-dos-brasileiros-desperdicam-alimento-em-bom-estado-diz-pesquisa>. Acesso em: 13 mar. 2019.)

- A forma verbal *desperdiçam* está na terceira pessoa do plural porque concorda com a expressão *mais de*. ( )
- O verbo está na terceira pessoa do plural porque concorda com a expressão numérica *60%*. ( )
- A forma verbal *desperdiçam* está na terceira pessoa do plural porque concorda com o termo *dos brasileiros*. ( )
- A forma verbal *desperdiçam* está na terceira pessoa do plural, mas o verbo também poderia estar na terceira pessoa do singular: *desperdiça*. ( )

e) "Grécia **fecha** bancos; Europa e EUA **temem** novo colapso da economia" (*O Estado de S. Paulo*, 29 jun. 2015, p. B1)

- O verbo *fechar* está na terceira pessoa do singular, e o verbo *temer* está na terceira pessoa do plural. (   )
- O sujeito do verbo *fechar* é simples, e o do verbo *temer* é composto. (   )
- O sujeito do verbo *fechar* é formado por um único núcleo, um substantivo empregado no singular, por isso a forma verbal é construída no singular. (   )
- O sujeito do verbo *temer* é formado por dois núcleos. Isso leva a forma verbal a ser construída no plural. (   )

f) "Há 40 anos ele **busca** a resposta: **existem** seres de outro planeta?" (Disponível em: <https://www.gazetadopovo.com.br/viver-bem/comportamento/existem-seres-outro-planeta-ufologo-busca-resposta/>. Acesso em: 3 maio 2019.)

- Os dois verbos — *buscar* e *existir* — apresentam-se na terceira pessoa. (   )
- O verbo *buscar* concorda com o sujeito indicado pelo pronome pessoal *ele*, por isso é empregado no singular. (   )
- O verbo *existir* concorda com o sujeito formado por "seres de outros planetas", que tem como núcleo o substantivo *seres*, no plural, por isso ele está no plural também. (   )
- O verbo *existir* deve sempre ser usado no singular; a construção não segue as regras da gramática normativa. (   )

Desafios da língua

Concordância verbal (II)

Para relembrar:

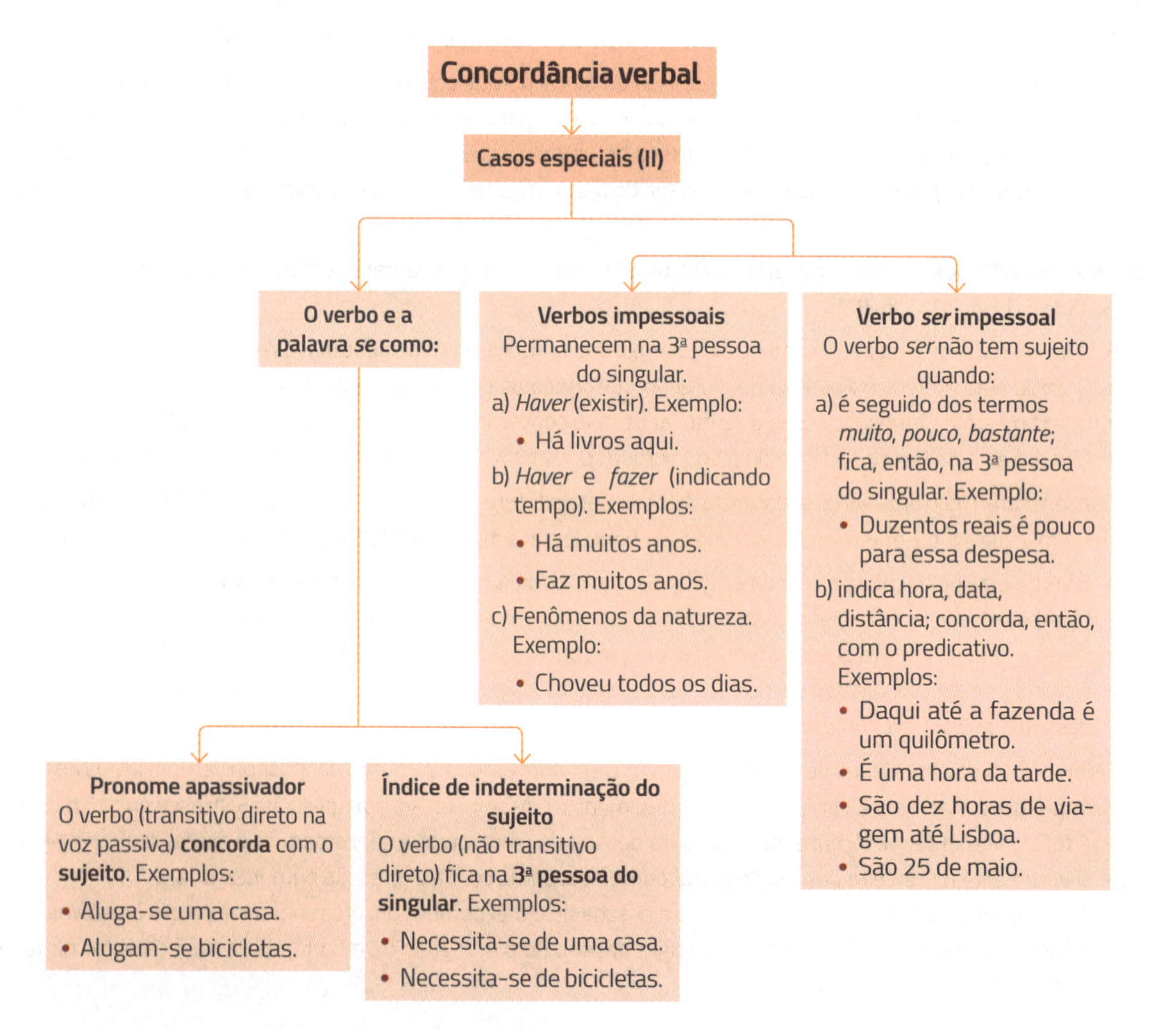

- Reescreva as frases passando para o plural os termos destacados e fazendo as mudanças necessárias.

a) Anunciou-se **o vencedor da competição**.

b) Trata-se de **um problema** de difícil solução.

c) Definiu-se **o objetivo** do estudo.

d) Houve **um imprevisto** durante o processo.

e) Faz **um ano** que eles se casaram.

f) Surgiu **uma dúvida** naquele momento.

g) Ocorreu **um acidente** durante a viagem.

h) **Um minuto** é pouco para terminar essa tarefa.

i) Faz **mais de uma hora** que tudo aconteceu.

j) Apelou-se para **o advogado mais experiente**.

k) É **um dia** de caminhada até o próximo município.

l) Naquele hospital, trata-se **a doença** mencionada.

Uma carta a quem possa interessar...

Concordância nominal

Para relembrar:

Concordância nominal

Regra geral
Os determinantes do substantivo — **adjetivo, locução adjetiva, artigo, numeral** e **pronomes adjetivos** — concordam em gênero (masculino e feminino) e número (singular e plural) com o nome (substantivo) a que se referem.

Outros casos de concordância nominal

Adjetivo posposto ao substantivo

a) quando **qualifica dois ou mais substantivos**:
- vai para o plural. Exemplo: *ar e mar **calmos***.
- se um substantivo é masculino, o adjetivo vai para o masculino plural (*um caderno e uma borracha **velhos***) ou concorda com o substantivo mais próximo (*um figo e uma pera **fresca***).

b) quando há **mais de um adjetivo posposto** ao substantivo:
- com o substantivo no singular, os adjetivos ficam no singular. Exemplo: *moça **bonita** e **saudável***.
- com o substantivo no plural, os adjetivos ficam no singular se o atributo for diferente. Exemplo: *chocolates **amargo** e **branco***.

Adjetivo anteposto a dois ou mais substantivos

O adjetivo concorda com o substantivo mais próximo. Exemplo: ***pequena** maçã e uvas*.

Casos específicos

a) **muito, bastante, pouco, meio**:
- se for adjetivo, o termo concorda com o substantivo. Exemplo: ***poucas** frutas*.
- se for advérbio, não varia. Exemplo: *frutas **pouco** maduras*.

b) **obrigado** e **em anexo**:
- *obrigado* concorda em gênero com a pessoa a que se refere. Exemplo: *Ela disse **obrigada** e ele disse **obrigado***.
- *em anexo* é invariável. Exemplo: *Seguem **em anexo** as cópias*.

c) **É proibido(a), necessário(a), bom/boa**:
- sujeito sem determinante → expressão invariável. Exemplo: *É **necessário** entrada*.
- sujeito com determinante → expressão concorda com o sujeito. Exemplo: *É **necessária** a entrada*.

▸ Complete as frases com a forma do determinante entre parênteses mais apropriada ao uso monitorado da língua.

a) É um especialista em clínica e cirurgia ________________. (cardíaco)

b) Conheço motor e suspensão ________________ (ou ________________). (automobilístico)

c) O talento e a disponibilidade daqueles professores são ________________. (famoso)

d) Viam-se ao longe ________________ laranjeiras e pessegueiros. (florido)

e) Há ________________ revistas e livros na casa, mas é ________________ a entrada lá. (muito; proibido)

f) Pedi uma *pizza* ________________ apimentada. (meio)

CONHECIMENTO EM TESTE

Texto

O tempo foge à memória

Os pequenos fazendeiros do interior do Pará encontram-se vulneráveis e desamparados diante das mudanças climáticas, a julgar pelos eventos dos últimos anos, atestaram os antropólogos Eduardo Brondizio e Emilio Moran, da Universidade de Indiana, Estados Unidos. Em 6 anos de levantamentos de campo, eles verificaram que anomalias climáticas como o El Niño podem arruinar pequenos fazendeiros e forçá-los a migrar para as cidades. Sem recomendações sobre como agir nem informações sobre as variações locais do tempo, já que as previsões meteorológicas só chegam ao nível regional, esses fazendeiros não mudam suas práticas agrícolas, ainda que acompanhem as discussões sobre as mudanças climáticas. Outra constatação: como o clima se altera muito e rapidamente na Região Norte, eles logo apagam da memória até os eventos climáticos extremos. Mais da metade dos entrevistados em 2002 não se lembrava da seca causada pelo El Niño de 1997-1998, uma das piores já registradas (*Philosophical Transactions of the Royal Society*). Esses agricultores precisam de quem transforme as tendências do clima em informações que os ajudem a tomar decisões e a prever secas.

Pesquisa Fapesp. O tempo foge à memória. n. 146. São Paulo: Fapesp, abr. 2008. Disponível em: <http://revistapesquisa.fapesp.br/2008/04/01/o-tempo-foge-a-memoria>. Acesso em: 15 fev. 2019.

NASA/JPL/Agência France-Presse

Imagem de satélite feita em 10 de novembro de 1997 mostra o fenômeno climático El Niño (representado pela área branca na linha do equador). O fenômeno se caracteriza pelo aquecimento anormal da superfície da água do oceano Pacífico.

Time Life Pictures/JPL/NASA/Getty Images

Imagem de satélite feita em 1º de janeiro de 2000 mostra o fenômeno climático La Niña — oposto ao El Niño, é o resfriamento da superfície da água do oceano Pacífico.

1› Assinale as alternativas com os fatores que, segundo o texto, explicam por que os pequenos fazendeiros do interior do Pará não mudam suas práticas agrícolas.

a) Trata-se de pessoas econômica e socialmente vulneráveis. (   )

b) Eles sabem que anomalias climáticas como o El Niño podem arruiná-los e forçá-los a migrar para as cidades. (   )

c) Eles não recebem recomendações sobre como agir nem informações sobre as variações locais do tempo. (   )

d) Eles acompanham apenas as discussões gerais sobre as mudanças climáticas. (   )

2› De acordo com o texto, os fazendeiros não demoram a se esquecer nem mesmo dos eventos climáticos mais extremos porque:

a) o clima se altera muito e rapidamente na região Norte. (   )

b) não acompanham as discussões sobre as mudanças climáticas. (   )

c) as previsões meteorológicas só chegam ao nível regional. (   )

d) não recebem informações sobre as variações locais do tempo. (   )

Brasil: Região Norte

Adaptado de: IBGE. *Atlas geográfico escolar*. 6. ed. Rio de Janeiro, 2012.

3› Entre os trechos a seguir, aquele que expressa uma opinião do autor do texto a respeito da condição dos pequenos fazendeiros é:

a) "[...] eles verificaram que anomalias climáticas como o El Niño podem arruinar pequenos fazendeiros [...]" (   )

b) "Mais da metade dos entrevistados em 2002 não se lembrava da seca causada pelo El Niño de 1997-1998 [...]" (   )

c) "[...] eles logo apagam da memória até os eventos climáticos extremos." (   )

d) "Esses agricultores precisam de quem transforme as tendências do clima em informações que os ajudem a tomar decisões e a prever secas." (   )

4› O autor da matéria procura dar credibilidade ao que escreve usando este recurso:

a) Menciona pesquisa sobre o clima no país em geral. (   )

b) Menciona pesquisa feita por antropólogos que entrevistaram pequenos fazendeiros do Pará. (   )

c) Menciona pesquisa feita por agrônomos na região Norte. (   )

d) Cita pesquisa feita por antropólogos da Universidade Federal do Pará. (   )

5› Releia o título da matéria:

O tempo foge à memória

Que aspecto do texto ele reforça?

a) Os pequenos fazendeiros do Pará estão velhos. (   )

b) As mudanças climáticas são bruscas e constantes na região Norte. (   )

c) Pelo fato de as alterações climáticas serem bruscas e constantes na região Norte, os pequenos fazendeiros logo as esquecem. (   )

d) O aspecto fundamental do texto: os pequenos fazendeiros não recebem informações necessárias para mudar sua prática agrícola. (   )